Español 2
Amigos Santillana

El libro *Español 2,* de la serie **Amigos Santillana**, es una obra colectiva concebida, diseñada y creada por Ediciones Santillana, Inc.

Eunice Castro Camacho
Dra. Marisa Franco Steeves
Rodrigo A. López Chávez
Dra. Catherine Marsh Kennerley
Marco A. Martínez Sánchez
Prof.ª Margarita Olazábal Viejo
Prof.ª Rosana Rodríguez Salas
Prof.ª Nayda I. Soto Jiménez
Colaboradores

Prof.ª María S. Matos Freire
Asesora en literatura infantil

Lizandra E. Pérez Viera
Coordinadora de corrección y estilo

Dra. Rosario Núñez de Ortega
Supervisora lingüística

Judith Sierra Rivera
Editora

Beliza Torres Narváez
Editora asistente

Migdalia Fonseca Martínez
Coordinadora editorial

Diana Bernard González
Directora editorial

Agradecemos a las siguientes maestras por su participación en los foros de discusión para a conceptualización de este libro: **Alma Dalmau, María Estrada, Elaine Guadalupe, Marisol Isern, Sol Llorens, Sonia Matos, Delia Pérez, Eva Veguilla, Magdalena Viera**

© 2005 - Ediciones Santillana Inc.
avda. Roosevelt 1506
Guaynabo, Puerto Rico 00968
www.santillanapr.com
PRODUCIDO EN PUERTO RICO
Impreso en Colombia
Impreso por Quebecor World **Bogotá**
Printed in Colombia
ISBN:1-57581-630-X

Español 2

Serie Amigos

Español 2
Amigos Santillana

Maestros y maestras:

Ediciones Santillana presenta el libro *Español 2*, que constituye el componente principal de la propuesta educativa **Amigos Santillana** para el segundo grado. La completan los libros *Lectura 2, Cuaderno 2,* el disco compacto *Música 2* y la *Guía y recursos para el maestro 2.*

Español 2 desarrolla las destrezas lingüísticas, de lectura, de escritura y de expresión oral de manera no aislada y basadas en amplios temas generadores de la comunicación. Para lograr nuestra propuesta educativa integral, cada capítulo del libro guarda una estrecha correspondencia con un texto literario que sirve de partida para el desarrollo de los conceptos y las destrezas estipulados por el Departamento de Educación.

Dos temas de gran importancia para el mejoramiento de la enseñanza en Puerto Rico fundamentan nuestro proyecto editorial:

- el desarrollo de la competencia lectora y
- la educación cívica y ética.

Nuestra propuesta para el desarrollo de la **competencia lectora** se divide en la práctica intensiva de las destrezas de lectura y el trabajo con una gran gama de tipos de texto. Este esfuerzo se logra mediante un programa sistemático basado en actividades de comprensión con los textos literarios que generan los temas de los capítulos, con talleres de lectura y con las exposiciones y explicaciones propias de los libros escolares. El programa está estructurado a base de cuatro conceptos fundamentales de la lectura: *detalles, ideas principales, secuencias* e *inferencias.* Los talleres de lectura —*Leer para aprender*— capacitan a los alumnos en la lectura de los distintos tipos de texto que deberán leer a lo largo de su vida, como lo son las gráficas, los diagramas y los textos informativos, entre otros.

Por otro lado, la **educación cívica y ética**, reconocida como una urgente necesidad en la sociedad puertorriqueña, está presente en forma integrada en todo el libro. Son contenidos que trabajamos, tanto en los textos que hemos seleccionado, como en las actividades y en el lenguaje que utilizamos en nuestra exposición y en los mensajes que transmiten las imágenes del libro. Nuestra aportación a la educación cívica y ética constituye un programa que hemos desarrollado mediante investigaciones y consultas a especialistas sobre los contenidos y la manera como debemos acercar a los alumnos a estos temas, tan fundamentales para trabajar por una sociedad más justa y armoniosa para todos.

Confiamos en que este esfuerzo pedagógico y editorial signifique una importante contribución al aprendizaje activo de nuestros niños en las competencias de lectura y escritura, pero más que nada, en sus habilidades comunicativas y en su desarrollo del pensamiento crítico.

Los editores

¿Cómo está organizado el libro *Español 2*?

El libro *Español 2* está organizado en 14 capítulos y seis talleres de lectura. Todos los capítulos parten de un tema generador, relacionado con los intereses y las experiencias del estudiante y con el contenido temático recomendado por el Departamento de Educación, reforzado con los contenidos curriculares del equipo de investigaciones pedagógicas de Ediciones Santillana.

La estructura de cada capítulo

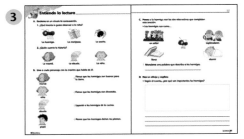

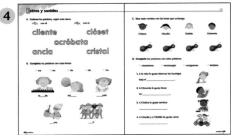

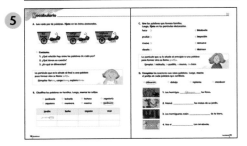

1. Lectura de imagen

El capítulo se inicia con una lectura de imagen que introduce el tema generador. Esta imagen es mucho más que un recurso visual: sirve para que el maestro explore las experiencias de los estudiantes relacionadas con el tema, y constituye el texto para el desarrollo de las destrezas de expresión oral. Además, una rima, vinculada al tema y musicalizada en el disco compacto *Música 2*, acompaña cada imagen y funciona para introducir lúdicamente los aspectos que se estudiarán. Finalmente, en la apertura, una serie de preguntas despierta en el niño el interés por explorar los contenidos y las destrezas que aprenderá a lo largo del capítulo.

2. Texto literario

Cada capítulo contiene un texto de literatura infantil auténtica. El texto literario desarrolla el tema del capítulo, a la vez que se presta para la lectura grupal e individual y para la comprensión lectora.

3. Entiendo la lectura

Luego de leer el texto literario correspondiente al capítulo, el estudiante trabaja con dos páginas de actividades de comprensión lectora. Estas actividades están diseñadas para desarrollar los cuatro conceptos fundamentales de la competencia lectora: *detalles, orden de sucesos, inferencias* e *idea central*. Además, dentro de las actividades, se incluye una que trabaja con el contenido cívico y ético destacado en cada capítulo y desarrollado y ampliado en la *Guía y recursos para el maestro 2*.

4. Letras y sonidos

Esta sección se compone de dos páginas y trabaja la clave fonética para el reconocimiento de las palabras.

5. Vocabulario

Esta sección se compone de dos páginas, en las cuales se trabajan las destrezas relacionadas con la adquisición de vocabulario mediante las diferentes claves de reconocimiento: la estructural, la de contexto y la semántica.

6. Gramática

En esta sección, se presentan los conceptos y las destrezas lingüísticas recomendados para el grado, de acuerdo con el modelo pedagógico de la construcción del conocimiento. Según este modelo, el estudiante observa, reflexiona, induce y practica el conocimiento que él mismo ha construido.

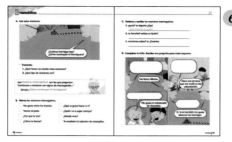

7. Ortografía

Esta sección se compone de dos páginas, en las cuales se desarrollan los conceptos y las destrezas ortográficas, según el modelo pedagógico de la construcción del conocimiento.

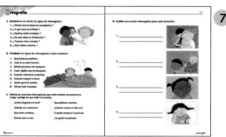

8. Caligrafía

El propósito de esta sección, de una página, es proveer al estudiante la práctica de las destrezas necesarias para desarrollar el arte de escribir. Aquí, el estudiante traza, copia y produce letras, palabras y oraciones, a fin de perfeccionar la caligrafía en cursivo.

9. Escritura creativa

En esta sección, se promueve la redacción original de varios tipos de texto: narraciones breves, descripciones, cartas, exposiciones, etc. En algunas instancias, esta sección incluye un estímulo visual —una foto o una ilustración— que sirve como apoyo al estudiante. En otras ocasiones, el estudiante produce su propio material visual: un dibujo, un *collage* o una foto, y luego pasa a redactar sobre lo que compuso artísticamente.

10. Repasamos y jugamos

Esta sección consta de una doble página que, a lo largo de una serie de ejercicios, refuerza los conceptos y las destrezas fundamentales del capítulo. Incluye, además, un breve texto que retoma a los personajes del texto literario del capítulo y que, además, puede usarse para probar cuánto ha avanzado el estudiante en su nivel de lectura, después de haber terminado el capítulo. Por último, ofrece una actividad creativa —manualidad, representación de una obra—, mediante la cual el estudiante se relaciona activamente con lo aprendido, a la vez que desarrolla el trabajo en equipo, así como las destrezas motoras, artísticas y de expresión oral.

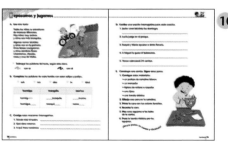

11. La estructura de *Leer para aprender*

Cada taller de *Leer para aprender* parte de un texto que establece una conexión curricular con alguna de las demás materias básicas: Ciencias, Sociales o Matemáticas. Esta conexión curricular está señalada por una clave de color correspondiente a los libros de la serie **Amigos Santillana**.

La conexión de cada taller se logra no sólo con el contenido, sino con distintos tipos de texto, propios de la materia. Incluimos mapas, tablas, boletines informativos, entre otros.

Ciencias   Sociales   Matemáticas

En la serie de actividades que suceden al texto, cada taller busca desarrollar los cuatro macroconceptos de la competencia lectora: *detalles, orden de sucesos, inferencias* e *idea central*. A la vez, el alumno relaciona el conocimiento adquirido mediante la lectura del texto con lo aprendido en la materia con la que el taller hace la conexión.

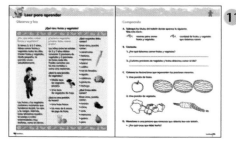

Índice

¿Qué pasó en las vacaciones?

Me caí de un balcón, con, con
y me hice un chichón, chon, chon.
Me curé con algodón, don, don.
Vino mi mamá.
Vino mi papá.
Vino mi abuelita.
Vino mi abuelito.
Vino mi paloma
punto y coma.
Se paró en un nido
punto y seguido.
Vino el gavilán
punto final.

¡Lo que aprenderás!

◆ ¿Qué hacemos en las vacaciones?
◆ ¿Cómo identificamos las letras **bl** o **br** en las palabras?
◆ ¿Qué es el orden alfabético?
◆ ¿Qué es una palabra? ¿Qué es una frase?
◆ ¿Cuándo usamos la raya?
◆ ¿Cómo comenzamos a escribir en letra cursiva?

El niño y el coquí

Carlitos llegó de Nueva York en el primer vuelo de la tarde. Venía a pasar las vacaciones en la finca del tío Luis.

—¡Qué isla tan llena de luz! —exclamó al bajar del avión.

Doña Rosa lo esperaba en la casa campestre. Cuando abrazó a Carlitos, le dijo:

—Es tu primer viaje a Puerto Rico. Quiero que lo pases bien.

—¡Jau, jau, jau! ¡Jau, jau! —Canela lo saludó tan animada como la familia.

Después de cenar, doña Rosa fue con Carlitos
a su cuarto. El niño se acostó temprano, pero estuvo
atento a los ruidos de la noche tropical.

–¡Coquí, coquí! ¡Coquí, coquí!

–¿Qué pajaritos serán esos que cantan? –se preguntó
Carlitos mientras abría la ventana.

Los sonidos venían en secuencia: unos eran agudos
y otros, graves; unos, fuertes y otros, suaves. Todos juntos
formaban una orquesta natural.

Carlitos bajó al jardín y se dirigió a la fuente, donde eran más intensos los sonidos. Levantó una rama y vio los ojos verdes de Minino, el gato aventurero.

–¡Miau, miau!

El maullido de Minino despertó a Canela.

–¡Jau, jau, jau!

El ladrido de Canela despertó a tío Luis.

–¿Quién vive?

La voz de tío Luis despertó a tía Rosa.

–¿Qué pasa?

Y todos corrieron al jardín sorprendidos:

—¡Carlitos...!

—Quiero ver esos pajaritos que cantan sin cesar. ¿Dónde están?

—¡Coquí, coquí! ¡Coquí, coquí!

—Ésos no son pajaritos. Son coquíes que viven en estos lugares húmedos —aclaró don Luis.

Al otro día, Carlitos se levantó con la idea de cuidar un coquí como animal favorito.

—Si me coge cariño, lo llevaré a Nueva York —pensó, mientras le echaba agua a la pecera.

Le puso dos piedras y una planta acuática. Luego la colocó debajo de una frondosa rama, cerca de la fuente.

Más tarde, cuando volvió al lugar, descubrió que un coquí dormía sobre las hojas.

Carlitos llevó cuidadosamente la pecera a su cuarto. Le puso algunos insectos al coquí y cerró la puerta. Él quería que se adaptara a vivir en la pecera y lo dejó solo durante el día.

El coquí despertó azorado. Hacía calor y el cuarto estaba oscuro. Sus ojitos saltones exploraban alrededor, girando como dos hélices. El coquí saltó a la orilla de la pecera:

–¡Tip! ¡Tip!

De seguro no estaba en el jardín.

Comenzó a estirar sus patitas posteriores. Eran bien largas. Cada una tenía cinco deditos.

Luego estiró las patitas anteriores. ¡Eran tan cortas! Y sólo tenían cuatro deditos.

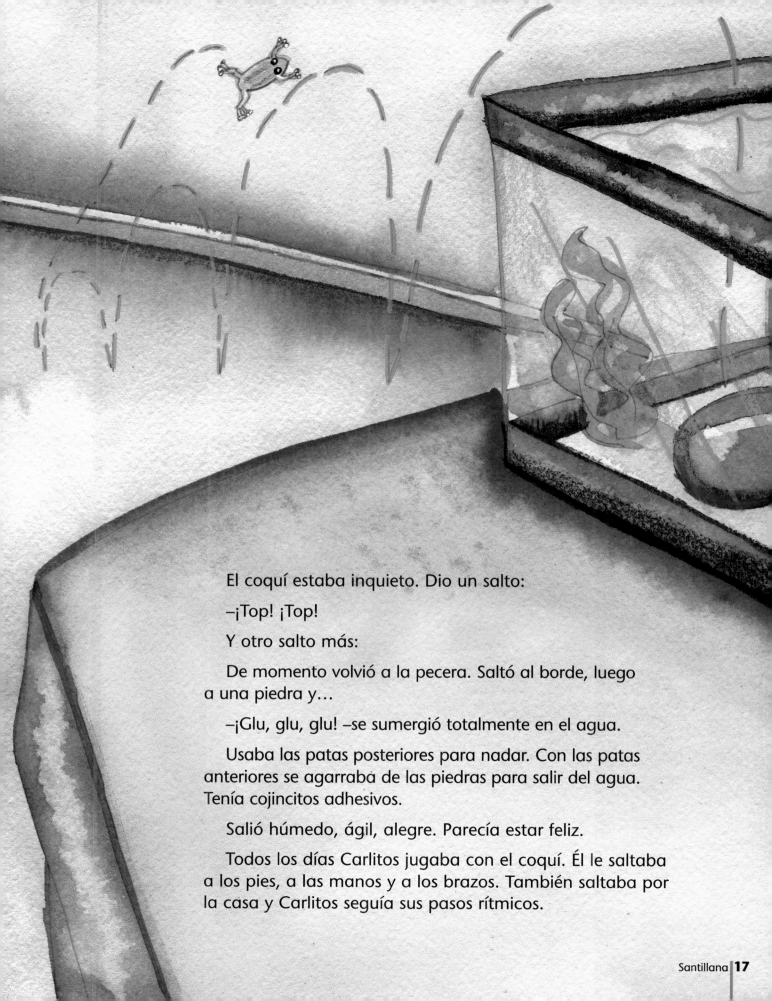

El coquí estaba inquieto. Dio un salto:

–¡Top! ¡Top!

Y otro salto más:

De momento volvió a la pecera. Saltó al borde, luego a una piedra y...

–¡Glu, glu, glu! –se sumergió totalmente en el agua.

Usaba las patas posteriores para nadar. Con las patas anteriores se agarraba de las piedras para salir del agua. Tenía cojincitos adhesivos.

Salió húmedo, ágil, alegre. Parecía estar feliz.

Todos los días Carlitos jugaba con el coquí. Él le saltaba a los pies, a las manos y a los brazos. También saltaba por la casa y Carlitos seguía sus pasos rítmicos.

A medida que pasaban los días, Carlitos notaba
un cambio en el coquí. Estaba triste y apenas se oía
su flauta cristalina.

Un día el coquí saltó a las manos de Carlitos.
Se miraron fijamente y el niño le dijo con ternura:

–Quiero oírte cantar.

–¡Co… quí! –fue su única respuesta.

Aquel canto débil del coquí fue un rayo de luz
para el alma de Carlitos. Pronto saldría para Nueva York.
¿Qué iba a hacer con el triste coquí?

Carlitos quedó pensativo. De momento cogió la pecera con sus manos llenas de amor. Se dirigió al jardín y la puso sobre la yerba húmeda. Luego, levantó las hojas de la plantita, y le dio paso al coquí:

—Aquí vas, corazón mío, quiero verte feliz. Esta noche le cantarás a la estrella más clara de nuestro cielo.

—¡Coquí, coquí! ¡Coquí, coquí!

La tía Rosa le dio un beso a Carlitos. Una leve llovizna de plata iluminó la brisa del jardín.

Isabel Freire de Matos
(*puertorriqueña*)

A. **Escribe** el nombre de cada personaje y **únelo** con lo que dijo.

◀ –Si me coge cariño, lo llevaré a Nueva York.

_____

◀ –Ésos no son pajaritos. Son coquíes…

_____

◀ –Es tu primer viaje a Puerto Rico. Quiero que lo pases bien.

_____

B. **Ordena** del 1 al 3 lo que ocurrió en el cuento.

C. Imagina que Carlitos se lleva el coquí a Nueva York.

- ¿Qué le pasaría?

  ▌ **Dibújalo** y **descríbelo**.

_____

_____

_____

D. Contesta:

1. ¿Crees que Carlitos tomó una buena decisión? ¿Por qué?

_____

_____

2. ¿Qué habrías hecho tú?

_____

_____

_____

Letras y sonidos _____

A. Busca en la sopa de letras estas palabras:

◇ brocha   ◇ mueble   ◇ bloque

◇ cabra   ◇ libro

c	a	m	b	p	u	g
a	o	u	c	a	b	h
b	w	e	v	ñ	t	x
r	q	b	s	y	f	z
a	d	l	i	b	r	o
n	m	e	e	l	k	i
r	b	l	o	q	u	e
b	r	o	c	h	a	j

▶ **Clasifica** esas palabras en estos diagramas:

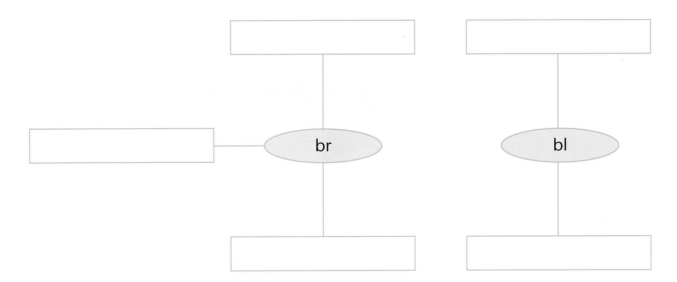

br   bl

B. Colorea los meses del año que contengan las letras **br**.

enero	febrero	marzo
abril	mayo	junio
julio	agosto	septiembre
octubre	noviembre	diciembre

C. Completa las palabras con **br** o **bl**.

li_____eta

ta_____illas

so_____e

_____azo

_____azalete

pue_____o

D. Escribe la palabra correcta.

1. Minino va tras una gatita _____. (*branca / blanca*)

2. Doña Rosa compró una _____. (*blusa / brusa*)

3. El coquí no tiene _____. (*ombligo / ombrigo*)

4. Canela juega con un _____. (*cable / cabre*)

Vocabulario

A. Escribe las letras que faltan en este abecedario:

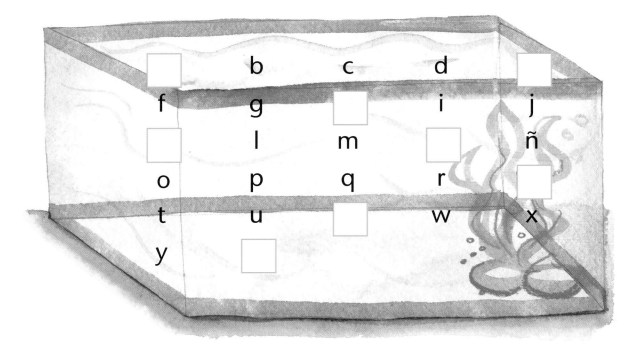

	b	c	d	
f	g		i	j
	l	m		ñ
o	p	q	r	
t	u		w	x
y				

B. Une cada palabra con su letra inicial.

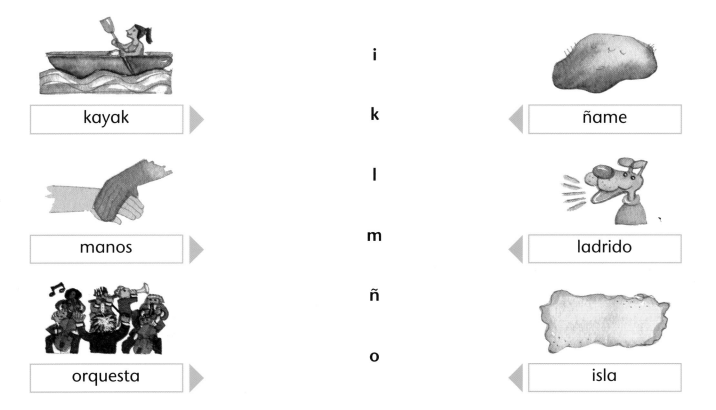

kayak

manos

orquesta

i

k

l

m

ñ

o

ñame

ladrido

isla

C. Colorea cada palabra según la sección del diccionario donde puedes encontrarla.

húmeda
borde
agua
finca
dedo
gato
estrella
coquí

D. Coloca en orden alfabético las palabras de cada grupo.

1. brazos
atento
cenar

| atento |
| brazos |
| cenar |

2. explorar
familia
debajo

| |
| |
| |

3. isla
gato
hélice

| |
| |
| |

Gramática

A. Observa la ilustración y **lee** las palabras.

| maleta | maleta azul con ruedas |

- ¿Qué diferencia observas entre ellas?

Una **palabra** es un conjunto de sonidos o de letras que expresan un significado o una idea.

Ejemplo: **maleta**

Una **frase** es un grupo de palabras que tienen cierto sentido.

Ejemplo: **maleta azul con ruedas**

B. Escribe P al lado de las palabras. **Escribe F** al lado de las frases.

	el gato aventurero		finca
	ternura		estos lugares húmedos
	orilla		una frondosa rama

C. Observa las ilustraciones. **Escribe** una palabra y una frase relacionadas con cada una.

palabra	frase

_____coquí_____   _____mi amigo el coquí_____

_____   _____

_____   _____

_____   _____

_____   _____

D. Escribe una frase con cada palabra.

1. pecera

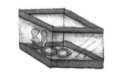

_____

2. tía

_____

3. jardín

_____

4. casa

_____

Ortografía

A. **Lee** este texto. **Fíjate** en los signos de puntuación destacados.

–Quiero ver esos pajaritos que cantan sin cesar. ¿Dónde están? –preguntó Carlitos.

–Ésos no son pajaritos. Son coquíes que viven en estos lugares húmedos –aclaró don Luis.

▶ **Marca** la contestación.

1. ¿Qué tipo de texto es?

☐ Una carta. ☐ Un diálogo.

2. ¿Dónde se colocan las rayas?

☐ Delante de la línea que dijo el personaje y de la explicación del narrador.

☐ Al final del párrafo.

La **raya** es un signo de puntuación que se usa en los diálogos. Se coloca delante de las líneas de los personajes y delante del comentario del narrador.

Ejemplo: –Quiero ver esos pajaritos que cantan sin cesar. ¿Dónde están? –preguntó Carlitos.

B. **Encierra** en un círculo rojo cada raya.

1. –¡Qué isla tan llena de luz! –exclamó Carlitos.

2. –Quiero que lo pases bien –dijo la tía Rosa.

3. –¡Jau, jau, jau! ¡Jau, jau! –Canela lo saludó.

4. –¿Qué pasa? –preguntó el tío Luis.

C. Marca las oraciones que sean líneas de diálogo.

☐ –¡Coquí, coquí! ¡Coquí, coquí! –cantó el coquí.

☐ "¿Qué pajaritos serán esos que cantan?", se preguntó Carlitos.

☐ El coquí saltó por la ventana.

☐ –¡Miau, miau! –exclamó Minino, el gato aventurero.

☐ Carlitos se despidió del coquí.

☐ –¿Quién vive? –preguntó el tío Luis.

D. Copia las oraciones. **Coloca** las rayas que falten.

1. ¡Tip! ¡Tip! sonaron las patitas del coquí.

_____

2. ¡Co… quí! respondió muy triste el coquí.

_____

3. ¡Glu, glu, glu! se sumergió el coquí en el agua.

_____

4. ¿Me das un vaso de agua? preguntó Carlitos.

_____

5. Debes dejarlo libre le aconsejó la tía Rosa.

_____

6. ¡Hoy me voy de vacaciones! exclamó Carlitos.

_____

Caligrafía

A. Sigue las líneas entrecortadas y **completa** la ilustración.

B. Practica estos trazos:

Escritura creativa

● **Lee** y **contesta:**

Carlitos fue a pasar sus
vacaciones en una finca
de Puerto Rico.

• ¿Qué hiciste tú durante
tus vacaciones?

1. ¿Viajaste a otros pueblos de Puerto Rico? ¿Cuáles?

_____

2. ¿Viajaste fuera de Puerto Rico? ¿A dónde?

_____

3. ¿Fuiste a un campamento? ¿Te gustó?

_____

4. ¿Dónde estuviste la mayor parte del tiempo?

_____

▶ **Dibuja** y **describe** lo que hiciste en tus vacaciones.

_____
_____
_____
_____
_____
_____
_____
_____
_____

Repasamos y jugamos

A. Lee este texto:

Blanca es vecina de la tía Rosa. Ella celebrará su cumpleaños mañana. Tía Rosa llevará un sabroso bizcocho. Carlitos le regalará una bromelia. Tío Luis le dará un pequeño roble.

▶ **Subraya** las palabras del texto, según esta clave:

⌇ con **br**   ⌇ con **bl**

B. Ordena del 1 al 6 las palabras, según el orden alfabético.

◯	sembrar	◯	roble
◯	árbol	◯	comida
◯	bromelia	◯	tabla

C. Encierra en un círculo las palabras y en un rectángulo, las frases.

1. las hermosas bromelias
2. bizcocho
3. neblina
4. pequeño roble
5. Carlitos
6. la vecina de la tía Rosa
7. coquí
8. el coquí de Carlitos

9. finca muy grande
10. bloque
11. hormiga trabajadora
12. Blanca
13. mañana
14. las vacaciones de Carlitos
15. Canela
16. la fiel Canela

D. Escribe las rayas que sean necesarias.

1. Carlitos fue a Bayamón   contestó el tío Luis.

2. Las rosas blancas son bellas   dijo Carlitos.

3. La neblina es espesa   exclamó la tía Rosa.

E. Observa el mapa de Puerto Rico.

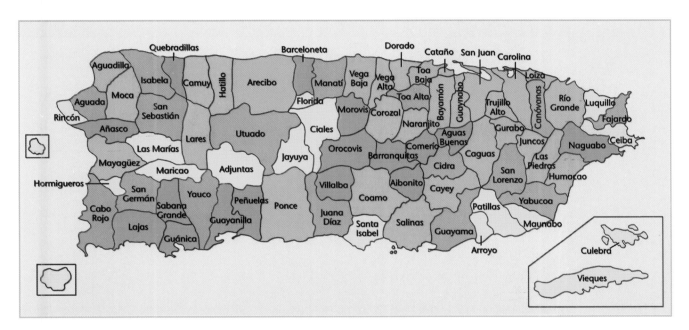

▶ **Piensa** y **contesta:**

1. ¿A qué pueblo de Puerto Rico te gustaría ir de vacaciones?

_____

_____

_____

2. ¿Qué harías allí?

_____

_____

_____

Leer para aprender

Observo y leo

¡Es fácil buscar en un libro!

Matemáticas 2

Comprendo

A. Subraya lo siguiente en el texto, según esta clave:

    título del libro

    títulos de los capítulos

    temas

    temas que se repiten en ambos capítulos

    número de las páginas

▶ **Contesta**:

1. ¿Cuántos capítulos hay en el índice? _____

2. ¿Cuántos temas hay en cada capítulo? _____

3. ¿Qué temas se repiten en los capítulos?

- _____
- _____

B. Lee y **completa** cada situación.

1. Alfredo quiere saber qué son las figuras planas. Busca en el capítulo número _____, la página _____.

2. Mónica va a hacer ejercicios de quintos. Busca en el capítulo número _____, la página _____.

C. Marca la alternativa correcta.

- Un índice nos informa sobre:

  ☐ los autores y los ilustradores de un libro.

  ☐ la organización y el contenido de un libro.

  ☐ los problemas y las soluciones en un libro.

¿Cómo soy?

Me miro, me miro:
¿qué veo yo?

Veo manitas
que quieren jugar.

¿Jugar a qué?
¿A qué quieren jugar?
A ser marinera,
a bailar y cantar.

Me miro, me miro:
¿qué veo yo?

Veo una boquita
lista para hablar.

¿Hablar de qué?
¿De qué quiere hablar?
Hablar de una niña
que pinta, que ríe y feliz está.

¡Lo que aprenderás!

◆ ¿Qué características
   tengo yo?
◆ ¿Cómo identificamos
   las letras **pl** o **pr** en
   las palabras?
◆ ¿Qué son las familias
   de palabras?
◆ ¿Qué es la oración?
◆ ¿Cómo se escriben
   las oraciones?
◆ ¿Cómo escribimos la **t**, la **u**,
   la **r** y la **s** en letra cursiva?

¿Quién soy?

Una vez había una oruga verde que no encontraba fruta para su gusto. Pasó por un limonero y se detuvo a observarlo. ¡Qué olorosa la brisa que tocaba sus ramas!

La oruga probó un limón que había caído a la sombra del árbol, y salió alarmada:

—¡Eres muy agrio, limoncillo! Sé que los niños saborean la limonada, pero a mí me pones las cerdas de punta.

Y salió rápidamente, reptando con sus cortas y numerosas patitas. Estiraba y encogía su cuerpo cilíndrico, como un diminuto acordeón.

La oruga pasó cerca de unas palmeras colmadas de frutas y exclamó:

—¡Esos cocos tan altos deben estar sosos!

Luego caminó bajo la enorme copa de un árbol de mamey, y dijo:

—¡Qué laberinto! El ramaje del mamey es para los monos que saltan de rama en rama por placer.

Siguió ligerita, dejando atrás el tamarindo:

—Ya te conozco, tamarindo. Tus bellotas son más agrias que las grosellas, las acerolas y los jobos.

Por fin llegó al árbol de guanábana y subió a una fruta. Pero su corteza era tan áspera que la oruga tenía que caminar en zigzag, y se vio obligada a retroceder.

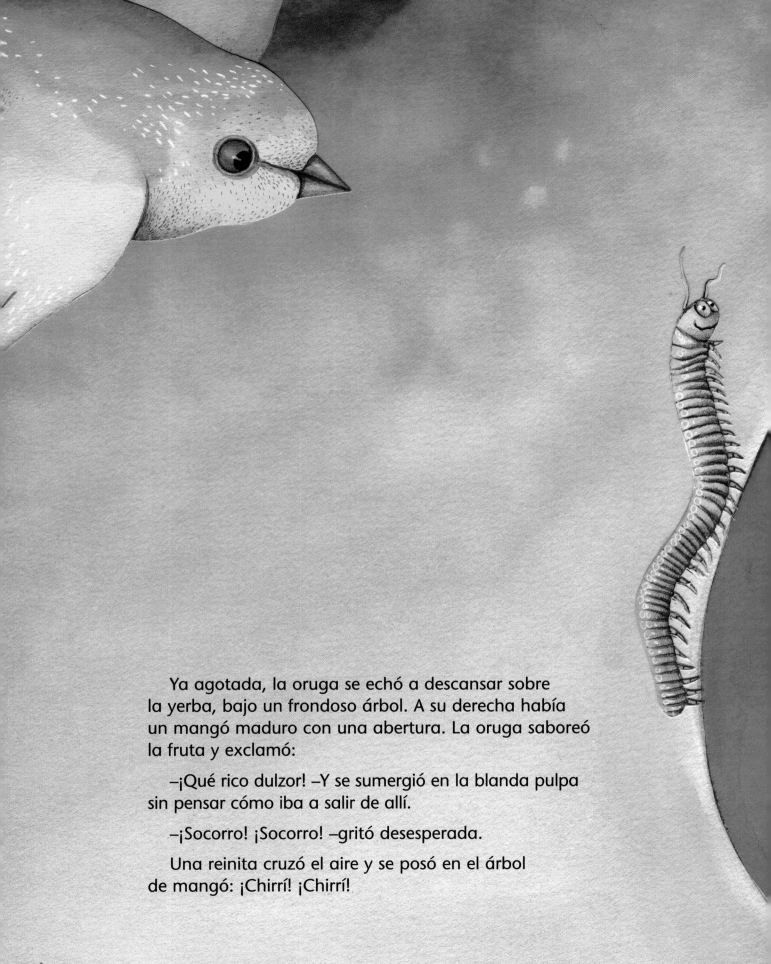

Ya agotada, la oruga se echó a descansar sobre
la yerba, bajo un frondoso árbol. A su derecha había
un mangó maduro con una abertura. La oruga saboreó
la fruta y exclamó:

–¡Qué rico dulzor! –Y se sumergió en la blanda pulpa
sin pensar cómo iba a salir de allí.

–¡Socorro! ¡Socorro! –gritó desesperada.

Una reinita cruzó el aire y se posó en el árbol
de mangó: ¡Chirrí! ¡Chirrí!

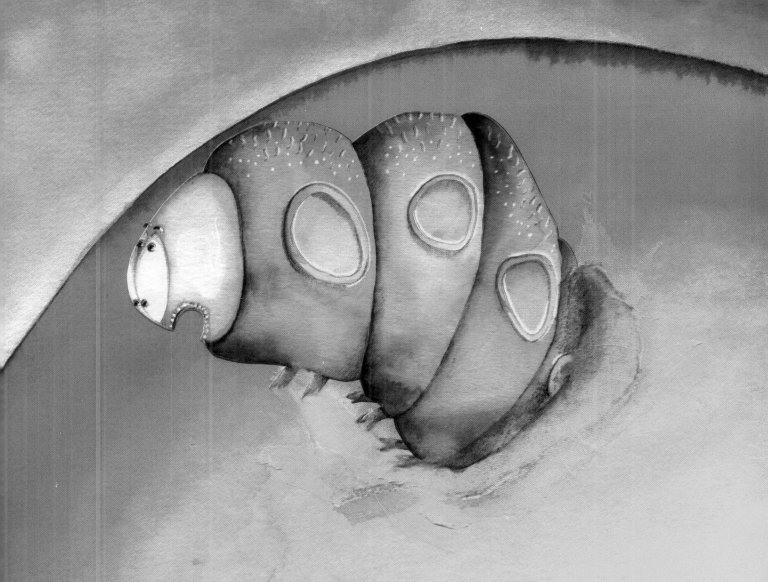

La oruga, temblorosa y húmeda, quedó silenciosa. Trataba de agarrarse a la corteza con sus fuertes mandíbulas.

De momento pasó por allí otro gusanito verde, igual que ella. Iba averiguándolo todo con sus ojitos brillantes.

–¿Qué te sucede? –le preguntó a la oruga.

–Ayúdame, por favor. Estoy a punto de perecer. ¿Por qué he llegado aquí? ¿Quién soy? Dime, ¿quién soy?

–Eso lo descubrirás tú misma. Nos vamos conociendo a medida que crecemos.

El gusano sacó a la oruga de la diminuta piscina,
la limpió cuidadosamente, y salieron antes de que
la reinita los divisara.

–Gracias, amigo gusano, me has salvado la vida.

–Ven conmigo, querida oruga. Estás muy decaída.
Te llevaré al huerto donde hay tomates, lechugas,
berenjenas, pimientos y otros frutos. Pero ninguna
de sus hojas es tan sabrosa como la hoja de la col.

Cuando llegaron al huerto, la oruga empezó a comer
y a comer coles. Crecía tanto que a veces tenía que mudar
la piel.

Un día, la oruga se quedó inmóvil. Comenzó a segregar
un hilo y se envolvió en él. Colgó el saco de una rama
y permaneció allí por algún tiempo.

Después de un largo sueño, se transformó en crisálida.
Ya iba tomando la forma de un insecto, con sus dos
antenas, sus seis patitas y sus cuatro alas.

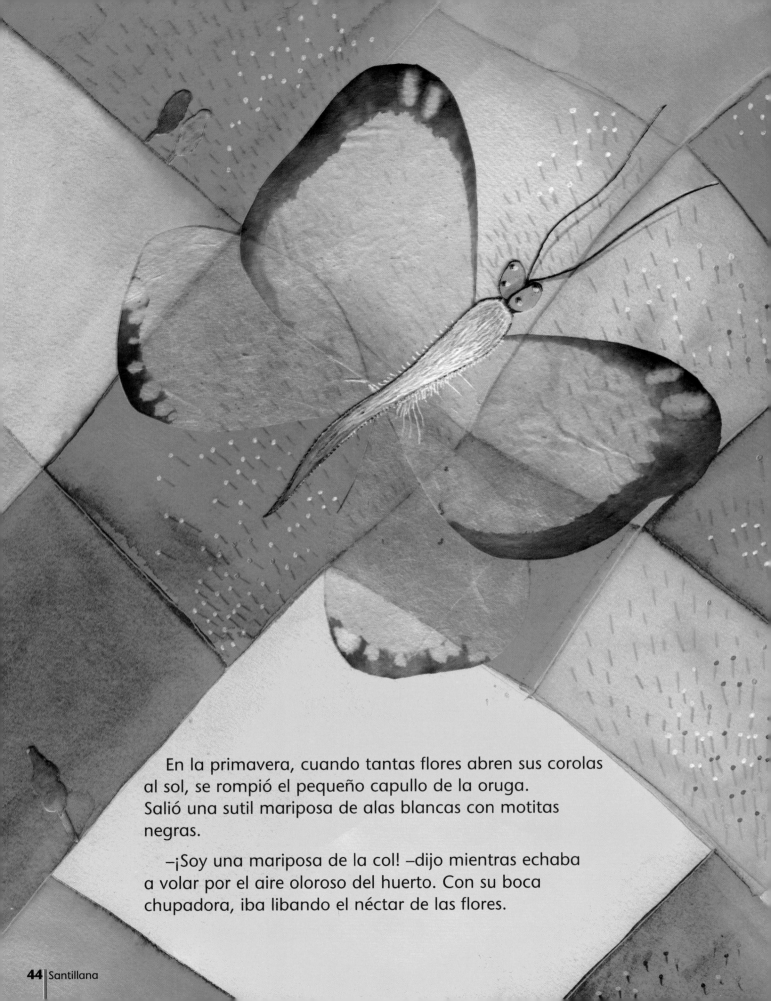

En la primavera, cuando tantas flores abren sus corolas al sol, se rompió el pequeño capullo de la oruga. Salió una sutil mariposa de alas blancas con motitas negras.

—¡Soy una mariposa de la col! —dijo mientras echaba a volar por el aire oloroso del huerto. Con su boca chupadora, iba libando el néctar de las flores.

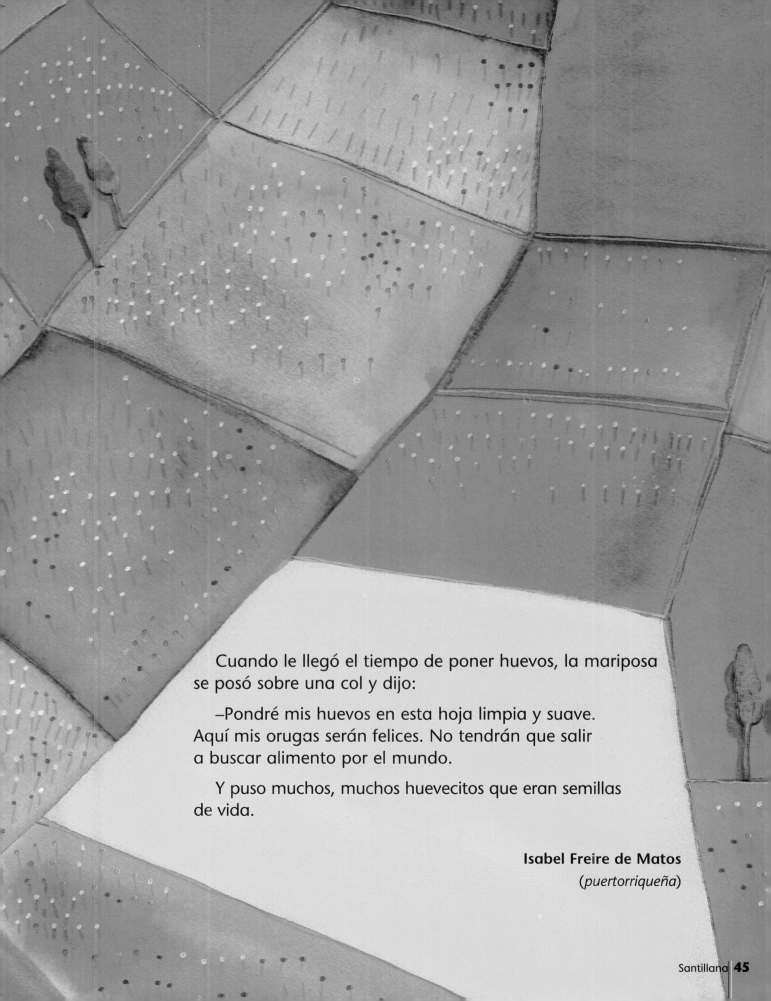

Cuando le llegó el tiempo de poner huevos, la mariposa se posó sobre una col y dijo:

—Pondré mis huevos en esta hoja limpia y suave. Aquí mis orugas serán felices. No tendrán que salir a buscar alimento por el mundo.

Y puso muchos, muchos huevecitos que eran semillas de vida.

Isabel Freire de Matos
(*puertorriqueña*)

Entiendo la lectura _____

A. Colorea la respuesta.

1. ¿Quién es el personaje principal del cuento?

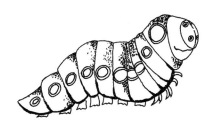

La oruga.

El gusano verde.

La reinita.

2. ¿Quién ayudó a la oruga?

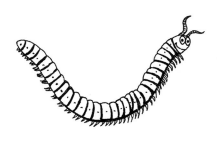

El gusano verde.

El mangó.

La reinita.

B. Ordena del 1 al 4.

La mariposa puso sus huevos
sobre las hojas de col.

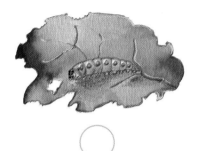

A la oruga le encantaron
las hojas de col.

Un gusano verde ayudó a la
oruga a salir del mangó.

A la oruga no le gustaban
las frutas que veía.

C. Subraya las oraciones, según esta clave:

 el problema de la oruga   el consejo que le dieron

 la solución del problema

   Nos vamos conociendo a medida que crecemos.

   La oruga no sabía quién era.

   La oruga descubrió que era una mariposa de col.

A. **Colorea** las palabras, según esta clave:

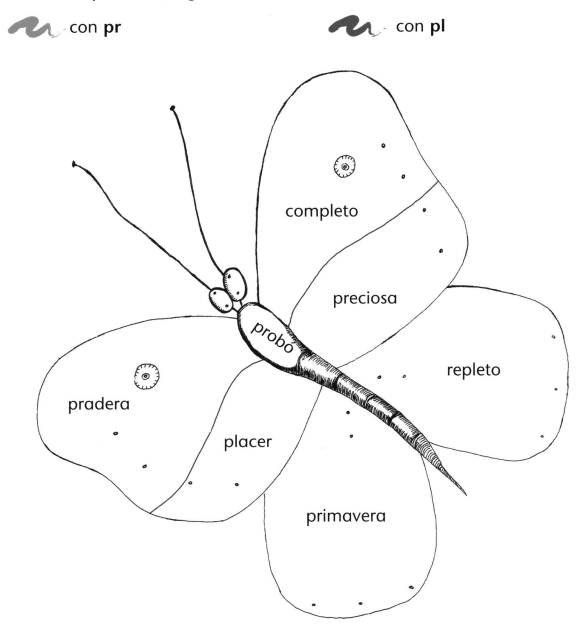

~ con **pr**   ~ con **pl**

completo

preciosa

probó

pradera

repleto

placer

primavera

B. **Subraya** con rojo las letras **pra**, **pre**, **pri**, **pro** y **pru**.

1. problema   4. compra

2. presión   5. prueba

3. prisa   6. premio

C. Subraya con azul las letras **pla**, **ple**, **pli**, **plo** y **plu**.

1. planta

2. pluma

3. complicado

4. sopló

5. simple

6. playa

D. Busca las palabras en la sopa de letras.

◇ pregunta
◇ proyecto
◇ templo
◇ plano

◇ exprimir
◇ represa
◇ plato
◇ ejemplo

p	r	e	g	u	n	t	a	e
r	p	l	a	t	o	e	p	j
o	q	z	h	k	s	t	r	e
y	p	s	p	l	a	n	o	m
e	o	p	z	l	w	g	ñ	p
c	p	c	h	z	a	n	a	l
t	r	e	p	r	e	s	a	o
o	t	e	m	p	l	o	x	l
w	e	x	p	r	i	m	i	r

❱ **Clasifica** las palabras en esta tabla:

Contienen **pr**	Contienen **pl**

Vocabulario

A. Lee la siguiente oración. **Fíjate** en las palabras destacadas.

Al pasar por un **limonero**, la oruga probó un agrio **limoncillo**.

- ¿En qué se parecen las palabras destacadas?

Las palabras que se forman de otra componen, junto con ella, una familia de palabras.

Ejemplo: limón, limonero, limoncillo, limonada

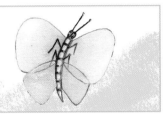

B. Colorea del mismo color las palabras que formen una familia de palabras.

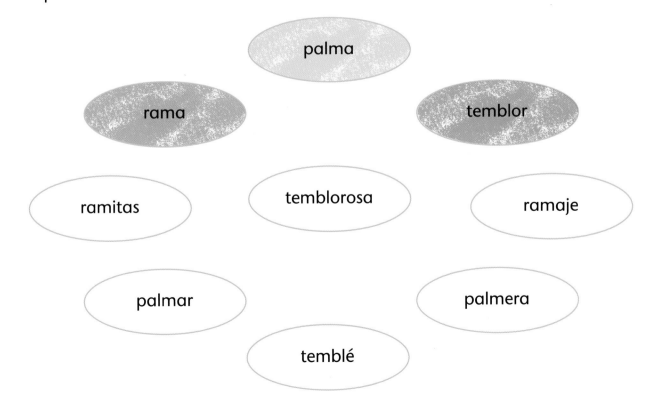

palma

rama

temblor

ramitas

temblorosa

ramaje

palmar

palmera

temblé

C. Clasifica estas palabras en la tabla, para que formes familias de palabras.

◇ sabrosa   ◇ dulcería   ◇ agriar

◇ saborear   ◇ dulzor   ◇ agriado

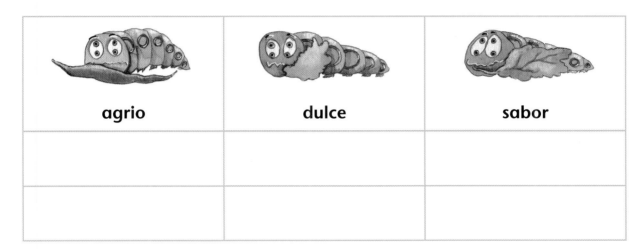

agrio	dulce	sabor

D. Une las palabras que pertenezcan a una misma familia de palabras.

ojo	frutería	brillantes
huerto	chupadora	nuboso
chupar	hortaliza	comedor
brillo	nublado	chupón
nube	comilón	frutero
fruta	brillantez	hortelano
comer	ojera	ojal

Gramática

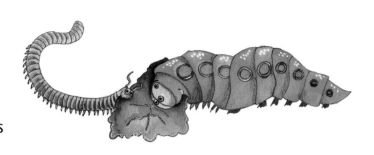

A. Lee:

1. La oruga y el gusano verde

2. La oruga y el gusano verde comen en el huerto.

- ¿Qué diferencia notas entre estos grupos de palabras?

Una **oración** es una palabra o un grupo de palabras que expresan un pensamiento completo. Las oraciones comienzan con letra mayúscula y terminan con punto.

Ejemplo: **La oruga y el gusano verde comen en el huerto**.

B. Subraya con rojo las oraciones.

1. La oruga saboreó la fruta.

2. Esos cocos tan altos…

3. La oruga gritó: "Ayúdame, por favor".

4. Pondré mis huevos en esta hoja limpia y suave.

5. Un mangó maduro y dulce

6. La sabrosa hoja de la col

7. Gracias, amigo gusano, me has salvado la vida.

8. Aquí mis orugas serán felices.

9. Las orugas comen muchísimo.

10. La hermosa reinita

11. La deliciosa col

12. La oruga descubrió quién era.

13. La mágica mariposa

14. La mariposa voló alto.

C. **Ordena** las palabras y **escribe** las oraciones.

1. se crisálida. La transformó oruga en

La oruga se transformó en crisálida.

2. chiringas. Los vuelan niños

_____

3. dan árboles sombra. Los frondosos

_____

4. delicioso. Mamá un bizcocho cocinó

_____

D. **Observa** las imágenes y **completa** las oraciones.

1. La reinita _____.

2. La mariposa _____.

3. La niña _____.

Ortografía

A. Marca las oraciones que estén escritas correctamente.

- [ ] El niño dibuja la mariposa.
- [ ] la mariposa es bonita
- [ ] tiene dos alas, seis patas y dos antenas
- [ ] La mariposa es un insecto volador.
- [ ] El niño colorea la mariposa.
- [ ] el dibujo es para su papá

B. Corrige estas oraciones:

1. la oruga es bonita

La oruga es bonita. _____

2. cristina es pelirroja

_____

3. el niño es tímido

_____

4. la niña quiere ser bailarina

_____

5. los niños son gemelos

_____

C. **Escribe** una oración para cada imagen. Luego, **colorea.**

_____

_____

_____

_____

_____

_____

_____

_____

_____

▶ **Comparte** con tus compañeros las oraciones que escribiste.

Caligrafía _____

A. Traza y **practica** estas letras:

i   i   i

t   t   t

u   u   u

r   r   r

s   s   s

B. Traza estas palabras:

1. *ti*

2. *tía*

3. *ruta*

4. *sitio*

5. *si*

6. *ir*

7. *su*

8. *tío*

9. *sur*

10. *risa*

11. *río*

12. *silla*

Escritura creativa

- **Pega** una foto de cuando eras bebé y otra que te hayan tomado recientemente.

- **Describe** cómo has cambiado.

    1. ¿Cómo eras antes?

    2. ¿Cómo eres ahora?

_____

_____

_____

_____

_____

_____

_____

_____

_____

Repasamos y jugamos

A. Lee este texto:

En la placentera primavera,
la oruga se prepara y reposa,
pues buscará convertirse
en preciosa mariposa.
Volará y volará
por las bellas flores
con sus alas primorosas.

▸ **Marca** las palabras del texto, según esta clave:

 con **pl**   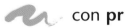 con **pr**

B. Une las palabras que pertenezcan a la misma familia.

boca	placentera	tomatero
tomate	boquilla	plácido
placer	tomatal	bocado

C. Marca las oraciones.

☐ La oruga se prepara y reposa.   ☐ Se sentirá feliz.

☐ En la placentera primavera   ☐ Es muy hermosa.

☐ Con sus alas primorosas   ☐ sobre la col

☐ La mariposa volará por las flores.   ☐ con mucho amor

D. Construye tu rostro. **Sigue** estos pasos:

1. Reúne estos materiales:

- un rollo de lana

- un pote de escarcha

- un pote de pega

- un botón

- crayolas

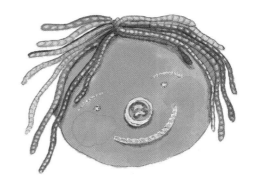

2. Dibuja y **colorea** tu cara en el recuadro.

3. Pega escarcha en los ojos de tu dibujo. **Coloca** el botón en la nariz, y la lana, en la boca y en el pelo.

4. Exhibe tu trabajo en el salón de clases.

3 Me gusta...

Toditas las tardes
llego a mi hogar
y con mi vieja bici
salgo a pasear.

Algunos días
es un dragón,
un submarino
o un tiburón.

Pero hoy mi bici
está cansada.
Quiere ser sólo
mi bici adorada.

¡Lo que aprenderás!

- ¿Cuáles son mis actividades favoritas?
- ¿Cómo identificamos las letras **cl** o **cr** en las palabras?
- ¿Qué son los prefijos y los sufijos?
- ¿Qué son las oraciones interrogativas?
- ¿Cómo escribimos las oraciones interrogativas?
- ¿Cómo escribimos la **a**, la **g**, la **d**, la **q** y la **z** en letra cursiva?

Hormigas
en mi patio

En el patio de atrás hay un monte de hormigas.
Mi madre me dice que no me acerque, porque
me pueden picar. Pero a mí me gusta mirarlas.

A mi madre no le gustan las hormigas, porque
le dañan las flores y las hojas de su jardín. Pero
mi abuela dice que las hormigas son buenas, porque
remueven la tierra cuando construyen sus montecitos
llenos de túneles. Así, los nutrientes del suelo llegan
hasta las plantas fácilmente.

Cuando llueve, el monte de las hormigas se deshace.
Pero tan pronto pasa la lluvia, las obreras vuelven
a formarlo.

A veces, las hormigas encuentran algún alimento
delicioso. Entonces, parecen cargadores en un safari
por la selva. Una detrás de otra, en una fila larga
y perfectamente recta, llevan la comida sobre
sus cabecitas.

Un día, cuando buscaban algo rico para comer,
se metieron en la cocina. Entonces mi padre las encontró
aglomeradas en la puerta de la nevera y las espantó
fuera de la casa.

Las hormigas son como exploradores. Suben y bajan en silencio por las ramas. Rebuscan dentro de las flores.

También son muy amigables. Las he visto cómo se saludan con sus antenas pequeñas cuando se encuentran en sus paseos.

En las tardes de tormenta, se esconden debajo
de la tierra y no vuelvo a verlas durante algunos días.
Sólo cuando, por fin, regresa la calma y brilla nuevamente
el sol, las hormigas dejan sus agujeros.

A mí, como a mi abuela, las hormigas me divierten,
porque construyen sus casas como volcanes en el patio
de atrás y hacen maromas sin caerse, como los trapecistas
en el circo.

Ángeles Molina Iturrondo
(*puertorriqueña*)
(*adaptación*)

Entiendo la lectura

A. **Encierra** en un círculo la contestación.

1. ¿Qué insecto le gusta a la niña observar?

La hormiga.

La mariposa.

La araña.

2. ¿Quién cuenta la historia?

La mamá.

La abuela.

La niña.

B. **Une** a cada personaje con la oración que habla de él.

la mamá

Piensa que las hormigas son buenas para la tierra.

la niña

Piensa que las hormigas son divertidas.

la abuela

Espantó a las hormigas de la cocina.

el papá

Piensa que las hormigas dañan las plantas.

C. Parea a la hormiga con las dos alternativas que completen esta oración:

- Las hormigas son como...

un safari

exploradores

libros

un sueño

▸ **Menciona** una palabra que describa a las hormigas.

_____

D. Haz un dibujo y **explica**:

- Según el cuento, ¿por qué son importantes las hormigas?

_____

_____

_____

Letras y sonidos

A. Colorea las palabras, según esta clave:

 con **cl**   con **cr**

cliente   clóset

acróbata

ancla   cristal

B. Completa las palabras con estas letras:

◇ cra   ◇ cre   ◇ cle   ◇ cla   ◇ clu

te____do

chi____

____yola

____ma

____b

C. Une cada nombre con las letras que contenga.

Cristina   Claudia   Clotilde   Clemente

Clo   Cri   Cle   Cla

D. Completa las oraciones con estas palabras:

◇ crisantemos   ◇ microscopio   ◇ crucigramas   ◇ bicicleta

1. A la niña le gusta observar las hormigas

con el _____.

2. A Clemente le gusta llenar

los _____.

3. A Cristina le gusta sembrar

_____.

4. A Claudia y a Clotilde les gusta correr

_____.

Vocabulario

A. Lee cada par de palabras. **Fíjate** en las letras destacadas.

▶ **Contesta:**

1. ¿Qué relación hay entre las palabras de cada par?

2. ¿Qué tienen en común?

3. ¿En qué se diferencian?

La partícula que se le añade al final a una palabra para formar otra se llama **sufijo**.

Ejemplos: flor**ero**, carga**dores**, explora**doras**

B. Clasifica las palabras en familias. Luego, **marca** los sufijos.

◇ jardinería   ◇ lechería   ◇ lechero   ◇ zapatería

◇ zapatero   ◇ marinera   ◇ marino   ◇ jardinero

jardín	leche	zapato	mar
jardin**ero**			

C. **Une** las palabras que formen familias.
Luego, **fíjate** en las partículas destacadas.

hace ▶   ◀ **bis**abuela

posible ▶   ◀ **im**posible

mueve ▶   ◀ **re**mueve

abuela ▶   ◀ **des**hace

> La partícula que se le añade al principio a una palabra
> para formar otra se llama **prefijo**.
>
> *Ejemplos*: **bis**abuela, **im**posible, **re**mueve, **des**hace

D. **Completa** las oraciones con estas palabras. Luego, **marca**
el prefijo de cada palabra que escribiste.

◇ rebuscan   ◇ debajo   ◇ replanta   ◇ descubrimos

1. Las hormigas _____(re)buscan_____ las flores.

2. Mamá _____ las matas de su jardín.

3. Los hormigueros están _____ de la tierra.

4. Mi abuela y yo _____ la belleza del atardecer.

Gramática

A. **Lee** estas oraciones:

¿Cuántas hormigas hay?
¿Cómo construyen el hormiguero?

▶ **Contesta:**

1. ¿Qué tienen en común estas oraciones?

2. ¿Qué tipo de oraciones son?

Las **oraciones interrogativas** son las que preguntan.
Comienzan y terminan con signos de interrogación: ¿?

Ejemplo: **¿Cómo construyen el hormiguero?**

B. **Marca** las oraciones interrogativas.

☐ Me gusta mirar los insectos.

☐ Vamos al patio.

☐ ¿Por qué te vas?

☐ ¿Cómo te llamas?

☐ ¿Qué te gusta hacer?

☐ ¿Quién va a jugar contigo?

☐ ¿Dónde vives?

☐ Te enseñaré mi colección de estampillas.

C. Ordena y **escribe** las oraciones interrogativas.

1. gusta? te deporte ¿Qué

<u>¿Qué deporte te gusta?</u>

2. tu favorito? artista es Quién?

_____

3. canciones sabes? te ¿Cuántas

_____

D. Completa la tirilla. **Escribe** una pregunta para cada respuesta.

Ortografía

A. **Encierra** en un círculo los signos de interrogación.

1. ¿ Dónde será la fiesta de cumpleaños ?

2. ¿ A qué hora es la fiesta ?

3. ¿ Quiénes están invitados ?

4. ¿ De qué sabor es el bizcocho ?

5. ¿ Cuántos años cumples ?

6. ¿ Qué música oiremos ?

B. **Escríbeles** los signos de interrogación a estas oraciones:

1. Qué barquito prefieres

2. Cuál es tu color favorito

3. Dónde ponemos los barquitos

4. Cuán rápido van los barquitos

5. Cuándo volaremos avioncitos

6. Cuándo empezó a llover

7. Quién ganó la carrera

8. Dónde está el parque

C. **Marca** las oraciones interrogativas que estén escritas correctamente. Luego, **corrige** las incorrectas.

☐ ¿Cómo llegamos al cine?

☐ ¿Dónde nos sentamos?

☐ Qué dulce prefieres.

☐ Dónde está la sala

☐ Qué película veremos.

☐ ¿Cuánto cuesta el refresco?

☐ Cuándo empieza la película.

☐ ¿Te gustó la película?

D. **Escribe** una oración interrogativa para cada ilustración.

1. _____
   _____
   _____

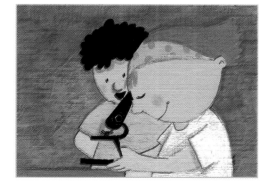

2. _____
   _____
   _____

3. _____
   _____
   _____

4. _____
   _____
   _____

Caligrafía

A. Traza y **practica** estas letras:

a   a   a

g   g   g

d   d   d

q   q   q

z   z   z

B. Traza estas palabras:

agujero

queso

zuecos

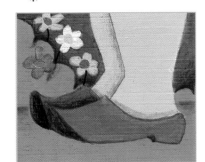

Escritura creativa

A. **Contesta:**

- ¿Qué te gusta hacer en tu tiempo libre?

_____

_____

▶ **Recorta** y **pega** una lámina que muestre lo que te gusta hacer.

┌───┐
│   │
│   │
│   │
│   │
│   │
│   │
└───┘

B. **Describe** esa actividad y **explica** cómo te sientes cuando la haces.

_____

_____

_____

_____

_____

A. **Lee** este texto:

Todos los niños se entretienen
de maneras diferentes.
Hay niños muy activos
y otros son más tranquilos.

Algunos corren bicicleta
y otros van en la patineta.
Unos llenan crucigramas
y otros siembran flores:
crisantemos, claveles,
rosas y cruces de Malta.

> **Subraya** las palabras del texto, según esta clave:

con **cr**   con **cl**

B. **Completa** las palabras de cada familia con estos sufijos y prefijos:

◇ sub   ◇ ero   ◇ aba   ◇ in   ◇ idad

hormiga	tranquilo	marino
hormig**ueaba**	_____tranquilo	_____marino
hormigue_____	tranquil_____	marin_____

C. **Corrige** estas oraciones interrogativas:

1. Dónde está el teatro _____

2. Qué obra veremos _____

3. A qué hora comienza _____

D. Escribe una oración interrogativa para cada oración.

1. Javier corre bicicleta los domingos.

   _____

2. Lucía juega en el parque.

   _____

3. Raquel y María ayudan a doña Rosario.

   _____

4. A Miguel le gusta el baloncesto.

   _____

5. Teresa coleccionó 24 carritos.

   _____

E. Construye una careta. **Sigue** estos pasos:

1. **Consigue** estos materiales:
   - un pedazo de cartulina blanca
   - un marcador
   - lápices de colores o crayolas
   - unas tijeras
   - una banda elástica

2. **Dibuja** una cara en la cartulina.

3. **Pinta** la cara con tus colores favoritos.

4. **Recorta** la cara.

5. **Haz** unos agujeros a los lados de la careta.

6. **Pasa** la banda elástica por los agujeros.

Ahora, ponte tu careta y ¡diviértete!

Leer para aprender

Observo y leo

¡Qué rico: frutas y vegetales!

¿Por qué debo comer frutas y vegetales?

Las frutas y los vegetales contienen nutrientes que fortalecen la piel, los ojos y la sangre. Además, estos alimentos ayudan al cuerpo a evitar enfermedades muy dañinas, como el cáncer.

¿Cuántos vegetales y frutas debo comer al día?

Los niños entre las edades de 5 y 7 años deben consumir 3 porciones de vegetales y 2 porciones de frutas cada día. Puedes comerlos con las tres comidas o como una merienda.

¿Qué es una porción de vegetales?

- Media taza de vegetales picados

- Una taza de vegetales de hoja

¿Qué es una porción de frutas?

- Una fruta fresca
- Un vaso de 6 onzas de jugo de fruta

¿Qué vegetales y frutas debo comer?

Entre otros, puedes comer:

- zanahorias
- batatas
- espinacas
- brécol
- coliflor

- col de Bruselas
- repollo
- calabaza
- pimiento
- lechuga
- toronja
- china
- uvas
- manzana
- guineo
- pera

Comprendo

A. Subraya los títulos del boletín donde aparece lo siguiente.
Usa esta clave:

 razones para comer
frutas y vegetales

 cantidad de frutas y vegetales
que debemos comer

B. Contesta:

1. ¿Por qué debemos comer frutas y vegetales?

_____

2. ¿Cuántas porciones de vegetales y frutas debemos comer al día?

_____

C. Colorea las ilustraciones que representen las porciones correctas.

1. Una porción de frutas

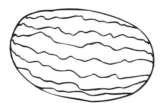 

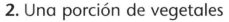

- una manzana

- tres melones

2. Una porción de vegetales

- media libra de vegetales

- media taza de zanahoria picada

D. Menciona a una persona que conozcas que debería leer este boletín.

- ¿Por qué crees que debe leerlo?

4 Si quiero ser artista...

Hoy artista seré
y de todo haré:

una canción en do,
un cielo de color,
un baile entre dos
y este poema
llenito de amor.

¡Lo que aprenderás!

- ¿Cuál es el arte que prefiero?
- ¿Cómo identificamos las letras **fl** o **fr** en las palabras?
- ¿Qué son el singular y el plural?
- ¿Qué son las oraciones exclamativas?
- ¿Cómo escribimos las oraciones exclamativas?
- ¿Cómo escribimos la **c**, la **o**, la **m**, la **n** y la **ñ** en letra cursiva?

Belisario
y el violín

Belisario descubrió su amor por la música el día que escuchó cantar a Belinda, la gusanita de la manzana de al lado. Belinda salía a tender la ropa para que la secara el viento de la mañana, y cantaba un canto estiradito que daba vueltas en el aire soleado.

–Ay, Belinda –le dijo el vecino–. ¿Me dejaría acompañarla con el violín?

–¡Sería maravilloso! –contestó Belinda, cerrando los ojos, emocionada.

–En un momentito regreso –dijo Belisario–, voy a buscar el violín. –Y se fue.

A paso largo llegó junto a la ventana, donde lo dejaba siempre, pero el violín no estaba.

–¿Cómo que no está? –pensó Belisario–. ¡Esto es un verdadero misterio! –Y ahí nomás salió a buscarlo.

Anduvo un poco y se encontró con una mariposa brillante.

    –Mariposa que sabes volar,
    ¿no has visto a mi violín pasar?

–Por aquí pasó –dijo segura la mariposa–. Hará cosa de media hora lo vi bajar por esa ramita de enfrente.

–¡Qué raro! –dijo Belisario–, que yo sepa, mi violín no camina. Pero, ¡gracias, mariposa! –Y siguió buscando.

Bajaba por el tronco del árbol, frenando con las patas de adelante y sosteniéndose con las de atrás, cuando tropezó con alguien oscuro.

–Buen día, Escarabajo –dijo Belisario–. ¿No ha visto mi violín por aquí abajo?

–Casualmente lo vi bajar por este camino de corteza, hace no mucho rato.

–¡Qué raro! –murmuró Belisario–. Nunca vi a mi violín avanzar cuesta abajo. –Belisario se despidió y siguió buscando.

Y mientras seguía avanzando, se puso a pensar que ya era la hora de lustrarlo y de estirar sus cuerdas, hasta que su sonido fuera como el trino de los pájaros. Pero el violín no aparecía y era mucho el silencio. Belisario estaba tan cansado que se detuvo un ratito en el centro de una hoja; y fue justo en ese momento que lo alcanzó la tristeza.

Por suerte, la abeja Florinda iba pasando cerca de la hoja donde estaba Belisario envuelto en su tristeza, y lo vio tan quietecito que se detuvo a preguntar qué le pasaba.

—¡Mi violín ha desaparecido!
—le explicó él, con voz de lágrima.

—Ah, pero no llores, Belisario —dijo Florinda con voz
de caricia—. Te ayudaré a buscarlo. —Y giró en el aire,
zumbando por el sol mañanero.

—¡Lo tienen las hormigas! —gritó desde el aire—.
¡Allí abajo, al pie del árbol!

—Nunca pensé que a las hormigas les gustara
la música —dijo Belisario, y se encaminó
cuesta abajo por las veredas del árbol.

Cuando tocó tierra suspiró, miró a su alrededor y alcanzó a ver su violín justo en la puerta del hormiguero. Unas hormigas guardianas enrollaban la cuerda que hacía subir una gran puerta levadiza.

—¡Un momentito! —les gritó—. ¡Ése es mi violín, señoras hormigas!

—Disculpe, señor gusano —le contestaron—. Lo vimos abandonado y pensamos que sería un buen regalo para la reina.

—¿Abandonado? ¡Pero qué insolencia! —dijo Belisario levantando la nariz para parecer más enojado.

Las hormigas buscaron rápido la puerta de su casa,
mirando de vez en cuando hacia atrás y perdiendo
en el revuelo zapatos y sombreros.

Belisario llegó hasta el violín y lo abrazó como se
abraza a los amigos de mucho tiempo. Le acarició
las cuerdas una por una y le dijo palabras redonditas.
Después, paso a paso, se lo fue llevando de regreso.

Dos días y dos noches demoró en llegar otra vez a su manzana, porque iba cuesta arriba y con el violín cargado sobre la espalda. Una vez en casa, se sentó en la vereda y esperó que la vecina saliera a tender la ropa.

—¿Cómo era su canto, vecina? —dijo, mientras se acomodaba el violín.

Y la vecina cantó:

Tras una hoja verde
gusano se pierde;
tras una hoja roja
gusano se aloja.

Ay, mi dulce amor,
tras una hoja nueva
te encuentro mejor.

Desde entonces, cuando Belinda sale a cantar, Belisario
la acompaña con el violín. Todos los animalitos del vecindario
se asoman, desde atrás de una cortina de pétalos, desde
el tobogán de una hoja, desde debajo de una semilla.

María Cristina Ramos
(*argentina*)
(*adaptación*)

Entiendo la lectura

A. Ordena del 1 al 4 estas escenas del cuento.
Luego, **escribe** una oración para cada una.

_____
_____
_____

_____
_____
_____

_____
_____
_____

_____
_____
_____

B. Encierra en un círculo al personaje principal del cuento.

Belinda

Florinda

Belisario

C. Marca las cualidades que describen a Belisario.

☐ perezoso ☐ perseverante

☐ soñador ☐ talentoso

☐ orgulloso ☐ tímido

▶ **Escribe** dos oraciones para describirlo.

_____

_____

D. Contesta:

1. ¿Por qué crees que Belisario insistió en buscar su violín?

_____

_____

2. ¿Qué podemos aprender de él?

_____

_____

3. ¿Qué opinas de las hormigas del cuento?

_____

_____

E. Imagina que Belisario no hubiera encontrado su violín. **Contesta:**

• ¿Qué crees que podría hacer para continuar en el arte de la música?

_____

_____

_____

_____

Letras y sonidos _____

A. Une a Florinda con las palabras que tienen **fl**.

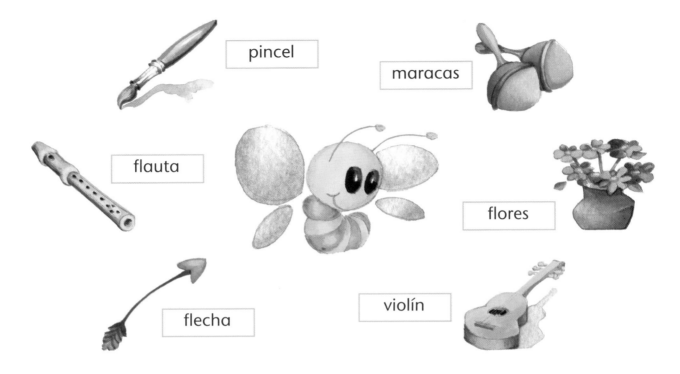

pincel

maracas

flauta

flores

flecha

violín

B. Completa las palabras con estas letras:

◈ fre   ◈ fla   ◈ fru   ◈ flo

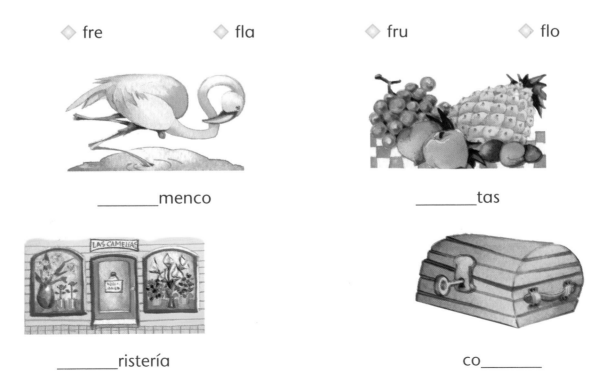

_____menco

_____tas

_____ristería

co_____

C. Une las sílabas correctas y **escribe** las palabras.

(fre) (fle)   (fre) (fle)   (flo) (fro)   (fri) (fli)

(sas)   (cos)   (res)   (sa)

__fresas__   _____   _____   _____

D. Observa las imágenes y **completa** estas oraciones con palabras que empiecen con **fr** o **fl**.

1. Belinda lava los platos en el _____.

2. Las hormigas comen _____.

3. A Belisario le gusta el árbol de _____.

4. Florinda usó un _____ de pintura.

Vocabulario

A. **Escribe S**, si las palabras están en singular. **Escribe P**, si están en plural.

☐ Sol ☐ luces ☐ olas

☐ canción ☐ ramas ☐ tambor

Una palabra está en **singular** cuando se refiere a una persona, un objeto o un animal.

Ejemplos: **Sol, canción, tambor**

Una palabra está en **plural** cuando se refiere a más de una persona, más de un animal o más de un objeto.

Ejemplos: **libros, olas, ramas**

Para formar el plural de muchas palabras, les añadimos los sufijos **-s** o **-es** al final. Cuando terminan en **z**, la cambiamos por **c** y añadimos **-es**.

Ejemplos: **luz - luces, lombriz - lombrices, lápiz - lápices**

B. **Escribe** el singular de estas palabras:

peces

patines

dedales

_____ _____ _____

C. Escribe el plural de estas palabras:

1. animal ▶ _____

2. colmena ▶ _____

3. voz ▶ _____

4. lunar ▶ _____

5. cruz ▶ _____

D. Copia las oraciones y **escribe** en plural las palabras destacadas.

1. Los gusanos viven en **la manzana**.

Los gusanos viven en **las manzanas**. _____ .

2. Las hormigas querían **el violín**.

_____ .

3. Belinda cuidaba **la flor**.

_____ .

4. Belisario come **mucha col**.

_____ .

5. Florinda no encuentra **su compás**.

_____ .

Gramática

A. Lee:

- ¿Qué expresa la oración destacada?

> Las **oraciones exclamativas** son las que expresan admiración, miedo, sorpresa, alegría, tristeza, dolor u otro sentimiento. Comienzan y terminan con signos de exclamación: ¡ !
>
> *Ejemplo*: **¡Sería maravilloso!**

B. Subraya las oraciones exclamativas.

1. –¡Mi violín ha desaparecido! –dijo Belisario.

2. –Te ayudaré a buscarlo –contestó Florinda.

3. –¡Lo tienen las hormigas! –gritó desde el aire Florinda–.

4. ¡Allí abajo, al pie del árbol!

C. Corrige estas oraciones exclamativas:

1. Qué alegre estoy _____

2. Cuánta belleza _____

3. Cuidado con la escalera _____

D. Escribe una oración exclamativa para cada dibujo.

1. _____

2. _____

3. _____

4. _____

E. Marca las oraciones, según esta clave:

 exclamativas   interrogativas

☑ ¡Esto es un verdadero misterio!   ☐ ¿Abandonado?

☐ ¿Cómo era su canto, vecina?   ☐ ¡Mi violín ha desaparecido!

☐ ¿Quién me ayudará?   ☐ ¡Pero qué insolencia!

☐ ¿Quién tiene mi violín?   ☐ ¡Ajá, fueron ustedes!

Ortografía

A. Subraya los signos de exclamación.

   1. ¡Qué bonita mañana!   **3.** ¡Cuidado!

   2. ¡No te vayas!   **4.** ¡Aquí estamos!

B. Copia y **corrige** estas oraciones exclamativas.

   1. Viva la música   _____

   2. Belisario, ven acá   _____

   3. Qué alegría   _____

   4. Cuánto pesa este violín _____

   5. Ay, qué dolor   _____

C. Escribe los signos de exclamación y de interrogación que correspondan.

D. Escribe una oración exclamativa para cada situación.

   1. Te regalan una guitarra.   _____

   2. Te pintan en un cuadro.   _____

   3. Te piden que cantes una canción. _____

   4. Sacas A en un examen.   _____

E. Completa los diálogos con una oración exclamativa.

1. –Me gustan las vacaciones.

_____

2. –Tengo que ayudar a Belisario.

_____

3. –Quiero mi violín.

_____

4. –Aquí te traigo este regalo.

_____

A. **Traza** y **practica** estas letras:

c c c

o o o

m m m

n n n

$ñ$ $ñ$ $ñ$

B. **Traza** estas palabras:

moño

tono

mo

Escritura creativa

A. Escoge una forma de arte que te llame la atención.

Teatro

Escultura

Música

▶ **Contesta:**

1. ¿La has practicado alguna vez?

_____

_____

2. ¿Te gustaría practicarla?

_____

_____

B. Explica por qué te llama la atención esa forma de arte.

_____

_____

_____

_____

_____

_____

_____

A. Lee:

Belisario y Belinda:
¡qué grandes artistas son!
Él toca el violín
y ella canta con pasión.

▶ **Encierra** en un círculo la oración exclamativa del texto.

B. Colorea las palabras, según esta clave:

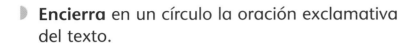 con **fl**   con **fr**

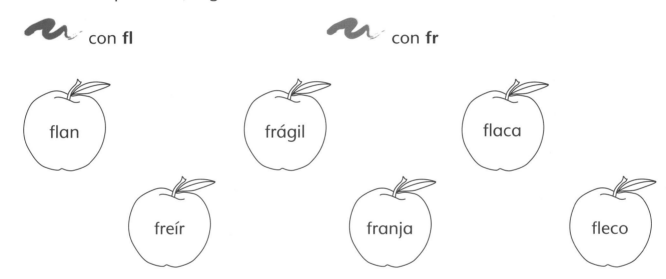

flan   frágil   flaca

freír   franja   fleco

C. Escribe el singular de estas palabras:

mares	casas	panes
_____	_____	_____

países	lápices	males
_____	_____	_____

D. Escribe el plural de estas palabras:

cartón	mañana	pincel

_____   _____   _____

nariz	altar	canción

_____   _____   _____

E. Marca las oraciones exclamativas que estén escritas correctamente.

☐ ¡Qué bueno!   ☐ ¡Cuánto me gusta!

☐ Qué bien te ves   ☐ Qué tarde es

☐ ¡Qué simpática!   ☐ Cuánto sueño tengo

F. Coloca los signos de exclamación.

Belisario dio un concierto de violín. Cuando acabó el concierto, el público gritó:

–Bravo Muy bien, muy bien

Belisario les respondió:

–Gracias. Qué bueno que les gustó

▶ **Imagina** que eres Belisario. **Dramatiza** el texto anterior para tus compañeros.

5 Soy parte de una familia

Hay familias bien grandotas;
hay familias chiquititas
y, de todas las familias,
la mía es mi favorita.

Unos viven en la Isla;
otros, en el extranjero.
Y yo vivo aquí, en Culebra,
con mi mamá y mis abuelos.

¡Lo que aprenderás!

- ¿Cómo es mi familia?
- ¿Cómo identificamos las letras **gl** o **gr** en las palabras?
- ¿Qué son el femenino y el masculino?
- ¿Qué son las oraciones enunciativas y las exhortativas?
- ¿Cómo usamos la coma en las enumeraciones?
- ¿Cómo escribimos la **x**, la **v**, la **y** y la **w** en letra cursiva?

La jaula dorada

El día que trajeron a la abuelita del hospital, Nicolás quedó muy sorprendido al verla, porque la abuelita estaba en una silla de ruedas.

—Abuelita ha estado muy enferma —le explicó su mamá—. No le es fácil caminar bien, por eso está en la silla de ruedas.

Para Nicolás, eso era muy difícil de aceptar. Porque la abuelita siempre había caminado a la tienda, caminado a la escuela acompañándolo, caminado por la casa haciendo cosas. Verla siempre sentada en una silla lo ponía muy triste.

La abuelita que antes siempre estaba ocupada, cocinando, limpiando, cosiendo, ahora se pasaba largas horas frente a la ventana.

–¿Qué miras, Abue? –le preguntó una tarde Nicolás.

–Los gorriones –dijo la abuelita–. Mira cómo encuentran siempre algo que comer. Fíjate en aquél ¡qué gordito está!

Se acercaba Navidad. Nicolás, en lugar de pensar en un regalo para sí, pensaba en un regalo para la abuelita. Algo que le pudiera gustar, algo que la alegrara.

El día que fue a las tiendas con su madre vio en una tienda de animales una hermosa jaula dorada llena de pajaritos. Y Nicolás se acordó de la abuelita mirando a los pajaritos por la ventana. Se dijo a sí mismo:

—Eso es lo que quiero regalarle a la abuelita.

El sábado, Nicolás le preguntó a su mamá si le daba permiso para limpiar los patios llenos de hojas secas de los vecinos. El dinero que le entregaron lo puso en una caja.

Y cuando le pagaron por haber repartido periódicos todo el mes, guardó hasta el último centavo con lo que ya tenía. Ya no le faltaba mucho para tener la cantidad que necesitaba.

Nicolás tenía una pecera llena de pececitos. El último mes habían nacido muchísimos. Nicolás los puso casi todos en un pomo. Se fue a la tienda de animales y se los vendió al dueño.

—Quisiera comprar esa jaula dorada, pero todavía me faltan seis dólares —le explicó al dueño de la tienda—. Si usted me dejara llevar hoy la jaula, le prometo seguirle trayendo pececitos.

—Me parece muy bien —le dijo el hombre de la tienda—. Siempre necesito pececitos. ¿Qué pajaritos quieres?

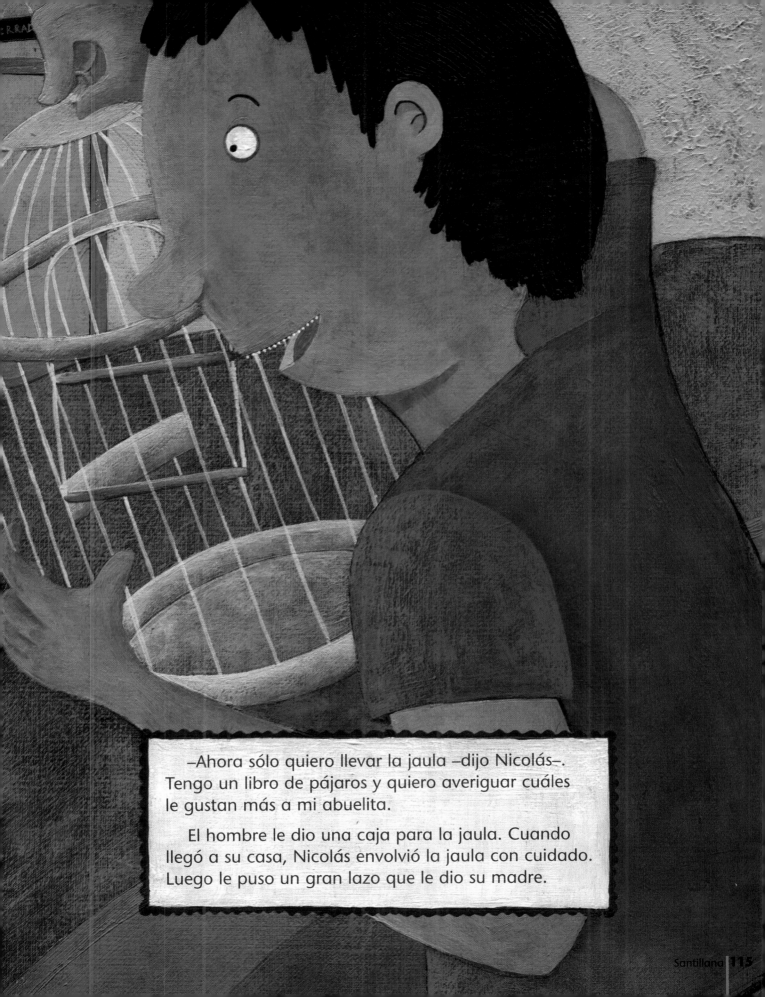

—Ahora sólo quiero llevar la jaula —dijo Nicolás—.
Tengo un libro de pájaros y quiero averiguar cuáles
le gustan más a mi abuelita.

El hombre le dio una caja para la jaula. Cuando
llegó a su casa, Nicolás envolvió la jaula con cuidado.
Luego le puso un gran lazo que le dio su madre.

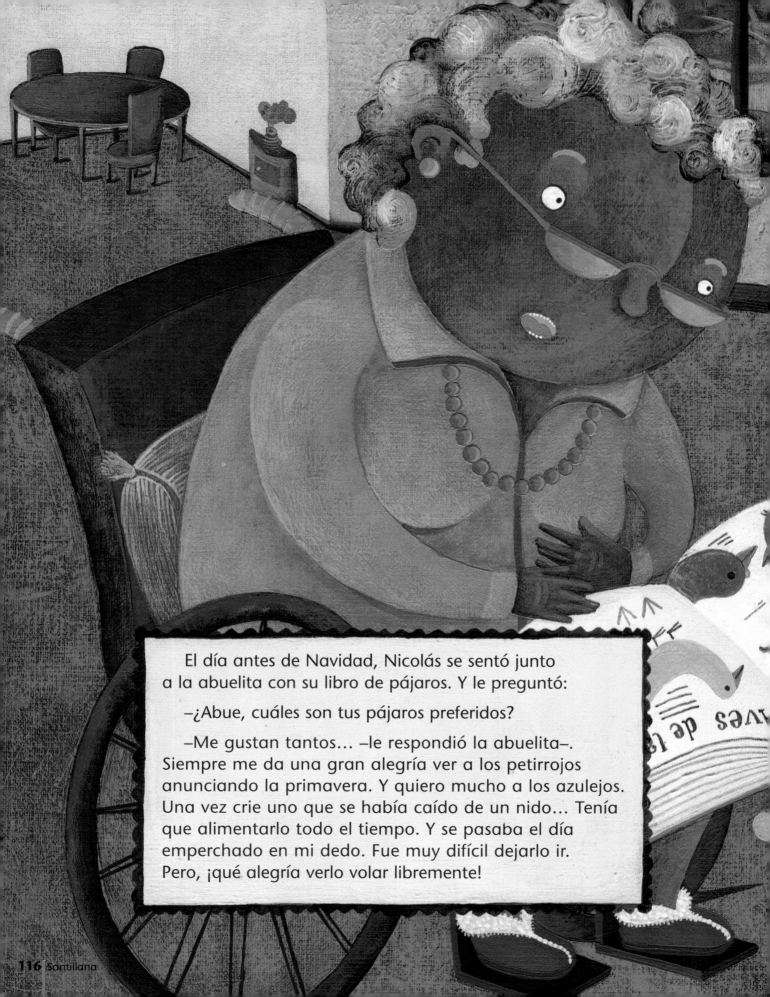

El día antes de Navidad, Nicolás se sentó junto
a la abuelita con su libro de pájaros. Y le preguntó:

–¿Abue, cuáles son tus pájaros preferidos?

–Me gustan tantos… –le respondió la abuelita–.
Siempre me da una gran alegría ver a los petirrojos
anunciando la primavera. Y quiero mucho a los azulejos.
Una vez crie uno que se había caído de un nido… Tenía
que alimentarlo todo el tiempo. Y se pasaba el día
emperchado en mi dedo. Fue muy difícil dejarlo ir.
Pero, ¡qué alegría verlo volar libremente!

—Y de estos pajaritos, Abuelita, de los que se pueden poner en jaula, ¿no te gusta ninguno?

—¿Sabes, Nicolás, que hay lugares en la Tierra donde esos pajaritos viven libremente volando entre los árboles? Si yo viviera en uno de esos países a mí me gustarían esos pajaritos, porque podría verlos volar libremente...

Nicolás la miró muy sorprendido.

—Precisamente ahora —siguió diciendo la abuelita—, que no me puedo mover como quisiera, cuando veo a los pájaros por la ventana es como si ellos volaran por mí... Por eso me sería difícil poner a un pajarito en una jaula.

Nicolás oyó que su madre lo llamaba y salió apurado. No sabía qué pensar. Por una vez se alegró de que fuera hora de ir a repartir periódicos. Los primeros los tiró con furia a los portales. Después de tanto esfuerzo, ¡había escogido el regalo equivocado! Pero luego se calmó, y entonces le vino una idea. Ahora sí tenía que darse prisa.

Cuando Nicolás llegó a su casa, entró corriendo y luego volvió a salir, con la caja hermosamente envuelta en brazos.

—Quisiera devolver la jaula —le explicó Nicolás al hombre de la tienda—. Necesito algo muy diferente.

Cuando Nicolás regresó de la tienda traía en las manos una canasta. Y le explicó a su abuelita.

—Tu regalo no va a quedarse tranquilo debajo del árbol, Abuelita. Vas a tener que abrirlo enseguida, aunque todavía no sea Navidad.

—Es un regalo perfecto, Nicolás. ¡Un regalo perfecto! —dijo la abuelita mientras acariciaba al precioso gatito en su regazo.

Alma Flor Ada
(*cubana*)
(*adaptación*)

A. Ordena los sucesos del 1 al 4.

Nicolás encontró el regalo
perfecto para la abuela.

La abuelita regresó en silla
de ruedas del hospital.

Nicolás se fue furioso
a repartir periódicos.

La abuela dijo que no
le gustaban los pájaros en jaulas.

B. Menciona lo que hizo Nicolás para reunir el dinero
del regalo de su abuela.

1. _____

2. _____

3. _____

C. Encierra en un círculo las palabras que describan a Nicolás.

egoísta   trabajador

generoso   rencoroso

cariñoso   obediente

> **Describe** a Nicolás.

_____

_____

_____

D. Explica cómo se habría sentido la abuela de Nicolás,
si hubiera recibido un pájaro en la jaula.

_____

_____

_____

E. Opina y **comparte** con tus compañeros:

1. ¿Qué crees de las acciones de Nicolás?

_____

_____

2. ¿Qué habrías hecho tú para alegrar a la abuela?

_____

_____

A. Subraya las palabras que contengan **gr**.

1. Los pajaritos alegran la mañana.

2. Nicolás regresó a la tienda.

3. A la abuelita le agradó su gatito.

4. El gatito no era grande.

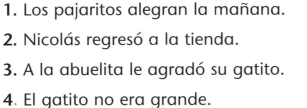

B. Escribe las palabras que contengan **gl**.

1. El gatito era muy glotón. _____

2. La abuelita dijo que parecía un globito. _____

3. Nicolás lo midió con una regla. _____

4. La abuelita lo llamó Gluglú. _____

C. Une las palabras con las letras que contienen.

greñas	gra	inglés
	gre	
gruñidos	glé	grasa
	gru	
iglú	gro	ogro
	glú	

C. Lee este texto:

Gladys, Gloria y Glenda son tres gatitas.
El gatito Gluglú ahora tiene con quien jugar.
El grupo hace muchas travesuras:
se sube a una grúa,
se llena de grasa
y rueda por la grama.
¡Ahora los cuatro gatitos son amigos!

▶ **Clasifica** en la tabla las palabras que contengan **gl** o **gr**.

gl	gr

D. Completa el crucigrama con palabras con **gr** y **gl**.

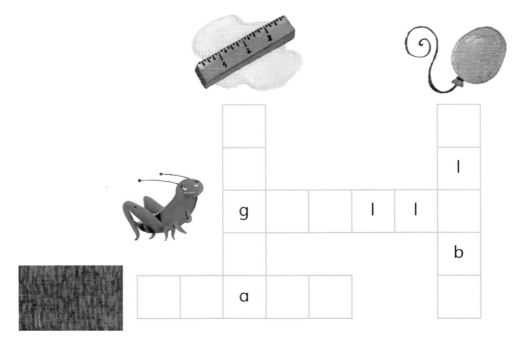

Vocabulario

A. Observa y **lee:**

¡Yo quiero ser **bailarín**!

¡Yo quiero ser **bailarina**!

- ¿Qué diferencia observas entre las dos palabras destacadas?

Femenino es la palabra que se refiere a la mujer, a la niña y a la hembra.

Ejemplos: **bailarina**, **nena**, **gatita**

Masculino es la palabra que se refiere al hombre, al niño y al macho.

Ejemplos: **bailarín**, **nene**, **gatito**

Para cambiar un nombre de masculino a femenino, muchas veces sólo tenemos que cambiar la **o** final por una **a**, o añadir una **a** al final de la palabra.

Ejemplos: buen**o** - buen**a**, león - leon**a**

B. Cambia los siguientes nombres de femenino a masculino.

vecina	prima	hermana

tía	amiga

C. Cambia los siguientes nombres de masculino a femenino.

| perro | bebecito | jovencito |

_____   _____   _____

| vendedor | payaso |

_____   _____

D. Copia las oraciones. **Cambia** las palabras destacadas
a femenino o a masculino.

1. Graciela habla con **la señora**.

Graciela habla con **el señor**. _____

2. Gluglú es **un gatito**.

_____

3. La abuela está muy feliz.

_____

4. El niño salió de prisa.

_____

5. Nicolás tiene **una prima**.

_____

Gramática

A. **Observa** las ilustraciones. **Lee** las oraciones que las acompañan.

> Nicolás y la abuela miran los pajaritos.

> Nicolás y la abuela no miran los pajaritos.

- ¿Qué expresan estas oraciones?
- ¿Qué diferencia hay entre ellas?

> Las **oraciones enunciativas** afirman o niegan algo.
>
> *Ejemplos*: **Nicolás y la abuela miran los pajaritos.**
> **Nicolás y la abuela no miran los pajaritos.**

B. **Marca** las oraciones enunciativas.

- ☐ Graciela es prima de Nicolás.
- ☐ ¿Dónde está el gatito Gluglú?
- ☐ Tío Manuel le mandó un regalo.
- ☐ La abuelita no puede caminar.
- ☐ ¡Qué rico!
- ☐ Vamos a la casa de Abuelo.
- ☐ ¿Cómo estás?

- ☐ Los primos juegan juntos.
- ☐ Los niños no ven la televisión.
- ☐ La familia come junta.
- ☐ ¿Puedes esperarme?
- ☐ ¡Vámonos!
- ☐ Mi primo es alto.
- ☐ La familia no irá a Ponce.

C. Observa la ilustración.

Dale leche al gatito.

• ¿Qué le está expresando la abuela a Nicolás?

> Las **oraciones exhortativas** expresan una orden o un ruego.
>
> *Ejemplos*: **Dale leche al gatito.**
> **Dame agua, por favor.**

D. Marca las oraciones exhortativas.

☐ Nicolás fue a las tiendas con su madre.

☐ Deme esa jaula, por favor.

☐ El señor compró mis pececitos.

☐ Papá, regálame dinero.

☐ Ábrelo enseguida, Abuela.

☐ No me sirvas más, por favor.

☐ La abuela no quiso la jaula.

☐ Pásame la sal, por favor.

☐ Tío, abre la puerta.

☐ Graciela llegó.

☐ Tenemos hambre.

☐ Limpia tu cuarto.

☐ Ayúdame, por favor.

☐ Empuja la puerta ahora.

☐ Corre más de prisa, hijo.

☐ La abuela quiso al gatito.

Ortografía

A. Observa y **completa:**

En el patio de Nicolás hay _____

_____.

- ¿Qué signo utilizaste para separar lo que escribiste?

La **coma** (,) es un signo de puntuación que se utiliza para separar las palabras en una enumeración.

Ejemplo: En el patio de Nicolás hay pajaritos, un perro, un gato y una mariposa.

B. Copia las oraciones y **coloca** las comas necesarias.

1. La abuela vive con su nieto su hija y el gatito.

_____

2. Me gustan los gorriones los petirrojos y las palomas.

_____

3. Nicolás compró una jaula una flor un libro y un gatito.

_____

4. Mi tío mi papá y mi mamá me regalaron dinero.

_____

C. Observa las escenas y **completa** las oraciones.
Usa las comas necesarias.

1. Para ahorrar dinero, Nicolás _____

_____.

2. _____

_____ quieren mucho a Nicolás.

D. Contesta las preguntas. **Recuerda** usar la coma.

1. ¿Cómo se llaman tres de tus primos?

Mis primos se llaman _____

_____.

2. ¿Cómo se llaman tus abuelos y tus tíos?

Mis abuelos y mis tíos se llaman _____

_____.

3. ¿Cómo se llaman tres de tus compañeros de clase?

Mis compañeros se llaman _____

_____.

A. Traza y **practica** estas letras:

B. Traza estas palabras:

examen

ventana

yeso

kiwi

Escritura creativa

- **Contesta:**

  1. ¿Cómo se llaman los miembros de tu familia?

  _____

  _____

  2. ¿Tienes una familia grande o pequeña?

  _____

- **Dibuja** a tu familia y **explica** qué te gusta de ella.

  _____

  _____

  _____

  _____

  _____

  _____

Repasamos y jugamos

A. Lee este texto:

Mi abuelita se entretiene mirando fotografías de los lugares que ha visitado. Tiene fotos de Inglaterra, Grecia y Granada. Mis favoritas son las de Alaska. Hay una de un iglú; otra, que muestra focas y otra, de un glaciar. Enséñame tus fotos, Abuelita.

▶ **Subraya** las palabras del texo, según esta clave:

 con **gl**    con **gr**

B. Contesta con oraciones. **Recuerda** usar la coma.

1. ¿Qué lugares ha visitado la abuelita?

_____

_____

2. ¿Cuáles son ias fotos de Alaska que más le gustan a Nicolás?

_____

_____

3. ¿Qué haces tú para entretenerte con tu familia?
Menciona, al menos, tres actividades.

_____

_____

4. ¿Qué deportes practicas con tu familia?
Menciona, al menos, tres.

_____

_____

C. Escribe el femenino o el masculino.

1. La _____ viajó a muchos países.   (*abuelo* / *abuela*)

2. El _____ limpia patios.   (*niño* / *niña*)

3. Mi _____ Graciela tiene un perrito.   (*primo* / *prima*)

4. Ese _____ es un glotón.   (*gato* / *gata*)

D. Clasifica las oraciones, según esta clave:

En = enunciativas   **Ex** = exhortativas

☐ A Nicolás le gustan las fotos del iglú.

☐ Enséñame tus fotos, Abuelita.

☐ Graciela, ven a ver esto.

☐ La abuelita ya no está enferma.

E. Sigue los pasos y **crea** una tarjeta para un familiar.

1. Consigue estos materiales:

- tijeras
- pega
- papel de construcción de diferentes colores
- lápiz
- cartulina blanca

2. Dibuja pétalos y hojas en los papeles de construcción. **Recórtalos.**

3. Dobla la cartulina por la mitad. **Pega** los pétalos y las hojas sobre la cartulina doblada.

4. Escribe un mensaje para alguien de tu familia. **Firma** la tarjeta.

6 Soy parte de una comunidad

En mi barrio vivo
junto a mi familia.
Están mis vecinos
y mi amiga Emilia.

Todos nos cuidamos
y nos protegemos.
Nos damos la mano
porque nos queremos.

¡Lo que aprenderás!

- ¿Cómo es mi comunidad?
- ¿Cómo identificamos las letras **dr** o **tr** en las palabras?
- ¿Cómo formamos el diminutivo en algunas palabras?
- ¿Qué es el sujeto y qué es el predicado?
- ¿Qué es el vocativo? ¿Cómo usamos la coma en el vocativo?
- ¿Cómo escribimos la **e**, la **l**, la **ll** y la **h** en letra cursiva?

La tormenta

Un día estábamos jugando en la plaza. De repente, me di cuenta de que se estaba llenando el cielo de nubes muy negras y pensé que iba a empezar a llover en seguida. Y se lo dije a los otros.

Pasaban una buena película en la televisión y decidimos ir a casa de Carlos. Su abuela nos deja poner la televisión todo lo alta que queremos, porque como ella está un poco sorda, no le molesta. Y tampoco le importa que hagamos ruido o que hablemos fuerte.

La película era de mucho ruido, así que al principio
no nos dimos cuenta de nada. Luego, de pronto,
la ventana se abrió y empezó a dar golpes tremendos
y oíamos soplar un viento fortísimo.

Corrimos a cerrar la ventana y casi no podíamos.
Retumbaban los truenos y veíamos brillar los relámpagos.

La abuela de Carlos fue a recoger la ropa que había tendido en el jardín de atrás. Tuvimos que ayudarla, porque las cosas se le escapaban volando. Doblamos la ropa mojada. Y ya no pudimos seguir viendo la película, porque la televisión se estropeó.

De pronto, oímos un ruido tan terrible que parecía
que la casa se iba a hundir. Un trozo del techo se cayó
y el suelo se llenó de pedazos de pared y de polvo.
El viento empezó a soplar dentro de la casa y la lámpara
se balanceaba como un columpio. ¡El vendaval había
roto la chimenea y una parte del tejado! También se
había caído la antena de la televisión.

La casa de Carlos es muy vieja y el viento era tan
fuerte…

Por todo el barrio ocurrieron cosas tremendas.
Se cayó un árbol. Voló el toldo del supermercado.
Rodaron varios cubos de basura. Y se partió un poste
del teléfono.

Nosotros creíamos que los bomberos solamente
apagaban fuegos. Pero resulta que también trabajan
para salvar a la gente de otros peligros. Aquel día quitaron
el trozo del tejado que se podía caer encima de alguien.

Los padres de Carlos llegaron muy pronto.
Se pusieron muy tristes cuando vieron lo que había
pasado, pero dijeron que era una gran suerte que
no hubiera ocurrido nada grave. Nadie había
resultado herido y solamente nos habíamos
asustado un poco. Bueno, la abuela se había
asustado bastante.

Como la abuela de Carlos estaba muy cansada
y bastante asustada todavía, todos la acompañamos
hasta el supermercado. La madre de Carlos y la madre
de Tito la llevaban del brazo. Allí, le dieron una taza
de tilo, que es una cosa que sirve para que la gente
se sienta mejor. Nosotros bebimos leche y comimos
pan con mermelada. Y hablamos mucho de lo que
había pasado. ¡Una tormenta no es tan terrible,
después de todo!

María Puncel
(*española*)
(*adaptación*)

Entiendo la lectura

A. Ordena del 1 al 4 estas escenas del cuento.
Escribe una oración para cada una.

_____

_____

_____

_____

_____

_____

_____

_____

B. Marca la contestación.

1. ¿Dónde ocurre el cuento?

☐ En el campo.   ☐ En la ciudad.   ☐ En el espacio.

2. ¿Cuánto tiempo duraron los sucesos del cuento?

☐ Un día.   ☐ Una semana.   ☐ Dos días.

C. Recuerda cómo se comportaron los niños y el resto de los vecinos con la abuela de Carlos. **Colorea** las palabras que los describan.

unidos

desunidos

egoístas

amistosos

cooperadores

D. Comparte con tu comunidad lo que aprendiste del cuento. **Escribe** en este cartel lo que pueden hacer tú y tus vecinos, en caso de una emergencia.

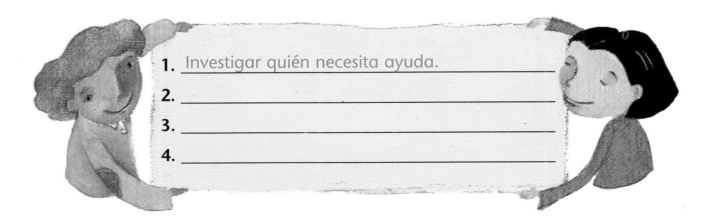

1. Investigar quién necesita ayuda.
2. _____
3. _____
4. _____

Letras y sonidos

A. **Lee** el siguiente trabalenguas. **Subraya** con rojo las palabras que tengan **tr**.

La tranquila noche estrellada se transformó en un misterio cuando tres tremendos truenos tronaron en el cielo.

B. **Subraya** las letras **dra**, **dri** y **dro**.

cilindro

cuadro

ladrillos

piedras

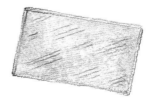

vidrio

C. **Colorea** las palabras, según esta clave:

 con **tr**    con **dr**

trompo

traje

dragón

rastrillo

ladrido

D. Clasifica en la tabla estas palabras:

◇ teatro   ◇ drama   ◇ travieso   ◇ padre   ◇ trébol   ◇ golondrina

Palabras con *dr*	Palabras con *tr*

E. Completa cada oración con la palabra correcta.

1. Durante la tormenta, se oyeron grandes _____.
(*truenos / druenos*)

2. La abuelita rompió algunos _____,
porque estaba nerviosa.   (*trastes / drastes*)

3. Cuando vio la casa, la abuelita se puso _____.
(*triste / driste*)

4. La _____ de Carlos la consoló.
(*matre / madre*)

5. Le dio té y un _____ de bizcocho.
(*trozo / drozo*)

Vocabulario

A. Lee estas palabras:

casa

mesa

casita

mesilla

Contesta:

• ¿Qué relación hay entre las palabras de cada par?

> El **diminutivo** nos indica que algo es pequeño. Para formarlo, usamos los sufijos **-ito**, **-ita**, **-illo** o **-illa**.
>
> *Ejemplos*: casa - **casita**, mesa - **mesilla**

B. Escribe un diminutivo para cada palabra.
Usa los sufijos **-ita** o **-ito**.

1. niño   _____
2. niña   _____
3. bola   _____
4. letrero   _____
5. cielo   _____

C. **Escribe** el diminutivo de las palabras destacadas. **Usa** los sufijos **-illa** o **-illo**.

1. Los bomberos salvaron el **gato**.

_____

2. Los policías dirigieron el tráfico de **carros**.

_____

3. Los vecinos donaron **ropa** para los necesitados.

_____

4. Los niños cocinaron **bizcochos** para la fiesta de la comunidad.

_____

D. **Escribe** los dos diminutivos para estas palabras:

ventana

_____ventanita_____

_____ventanilla_____

techo

_____

_____

antena

_____

_____

teléfono

_____

_____

Gramática

A. Lee esta oración:

Los niños limpian su comunidad.

▌ **Contesta**:

1. ¿Quiénes limpian su comunidad?   **2.** ¿Qué hacen los niños?

La parte de la oración que dice de quién o de quiénes
se habla es el **sujeto**.

Ejemplo: **Los niños** limpian su comunidad.

La parte de la oración que dice qué hace el sujeto es el **predicado**.

Ejemplo: Los niños **limpian su comunidad**.

B. Observa las ilustraciones y **escribe** un sujeto para cada predicado.

1. _____ estaba en casa de su abuela.

2. _____ es muy vieja.

3. _____ se cayó al piso.

C. Completa la oración con un predicado que diga dónde está el sujeto o cómo es.

1. La farmacia _____.

2. El hospital _____.

3. La escuela _____.

D. Une cada sujeto con un predicado.
Escribe las oraciones que formes.

| Los vecinos | ▶ | ◀ | estaba muy nerviosa. |

| Los bomberos | ▶ | ◀ | salvaron a la abuela y a los niños. |

| La abuela | ▶ | ◀ | tranquilizaron a la abuela. |

1. _____

2. _____

3. _____

Ortografía

A. Lee esta tirilla:

> **Contesta:**

1. ¿Cuál es la diferencia entre esas dos oraciones?

_____

2. ¿Por qué crees que hay una coma en la segunda?

_____

La **coma** sirve para separar, del resto de la oración,
el nombre de la persona a la que se habla.

Ejemplos: Carlos, ven a jugar.
Ven a jugar, Carlos.

B. Copia las oraciones y **coloca** las comas necesarias.

1. Vamos a tu casa Carlos.   _____Vamos a tu casa, Carlos._____

2. Tito ve al supermercado.   _____

3. Adriana organiza tus libros.   _____

4. Compra velas Sandra.   _____

5. Abuela queremos comer.   _____

C. Corrige el uso de la coma en estas oraciones:

1. Abuela dame, un vaso de leche.

Abuela, dame un vaso de leche.

2. Carlos ayuda a doña Sarita, con los paquetes.

_____

3. Vecinos vamos a limpiar, el parque.

_____

D. Lee la tirilla. **Escribe** las comas en las oraciones que las necesiten.

A. Traza y **practica** estas letras:

B. Traza y **practica** estas palabras:

leche

hola

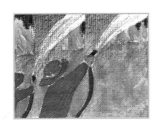

llamas

Escritura creativa

A. Pega una foto de tu comunidad.

▶ **Contesta:**

1. ¿Tienes muchos vecinos?

_____

2. ¿Te llevas bien con ellos?

_____

3. ¿Es unida tu comunidad?

_____

B. Explica qué te gusta de tu comunidad y qué no te gusta.

_____

_____

_____

_____

Repasamos y jugamos

A. Lee este texto:

Carlos escuchó que Sandra, su madrina, hablaba de una tormenta que pronto llegaría. Carlos corrió a buscar a sus amigos: Pedro, Andrea y Tito.

Junto con los demás vecinos, se reunieron en la plaza y decidieron cooperar con su comunidad. Trabajaron muy unidos: limpiaron las calles de escombros y reunieron comida enlatada y agua. Luego, se fueron para sus casas.

▶ **Subraya** las palabras, según esta clave:

 con **dr**    con **tr**

B. Escribe los diminutivos de estas palabras. **Usa** los sufijos **-ita**, **-ito**, **-illa** o **-illo**.

1.
> agua

—————— agüita ——————

—————— agüilla ——————

4.
> fósforos

—————————————

—————————————

2.
> latas

—————————————

—————————————

5.
> linterna

—————————————

—————————————

3.
> velas

—————————————

—————————————

6.
> palo

—————————————

—————————————

C. Lee cada oración. **Subraya** con azul el sujeto y con amarillo, el predicado.

1. El sol brilla sobre nuestra comunidad.

2. La lluvia caerá en la mañana.

3. La tormenta llegará el jueves.

4. El cielo está nublado.

D. Copia las oraciones y **coloca** las comas necesarias.

1. Escucha atentamente Andrés. _____

2. Carlos ven a trabajar. _____

3. Andrea busca el rastrillo. _____

4. Necesitamos agua Tito. _____

E. Observa tu comunidad escolar y **determina** qué problema tiene. **Diseña** un cartel con una idea para solucionarlo.

1. Consigue estos materiales:

- cartulinas
- marcadores
- revistas
- tijeras
- pega

2. Escribe en la cartulina, con un marcador, la solución para el problema.

3. Recorta y **pega** láminas de revistas que ilustren tu mensaje.

4. Comparte los carteles con tus compañeros. Luego, entre todos, **escojan** los mejores y **péguenlos** en alguna pared de su escuela.

Depositemos la basura en los zafacones.

Observo y leo

La comunidad

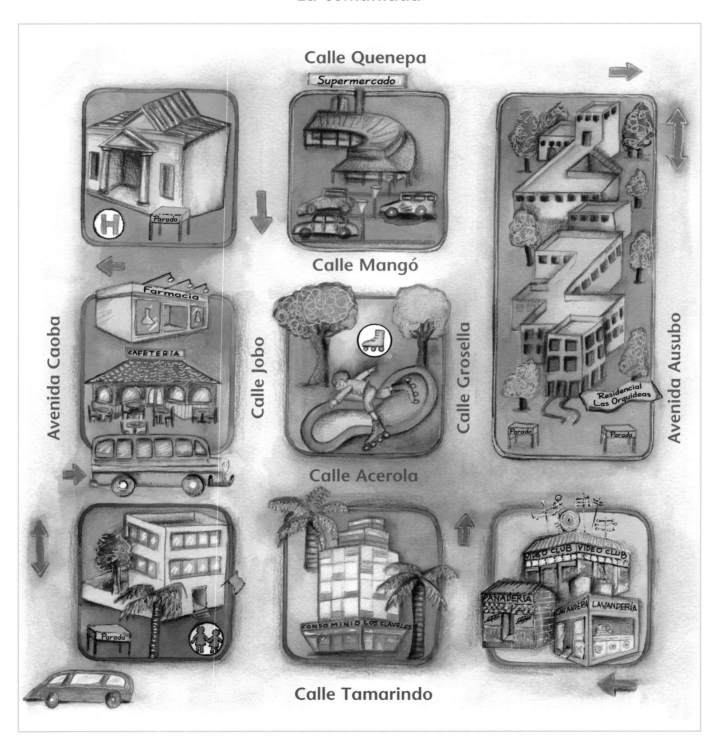

Comprendo

A. Une cada lugar con el símbolo que lo representa.

Hospital

Escuela

Parque

B. Traza en el plano la ruta más corta para llegar en guagua del Residencial Las Orquídeas a la escuela.

C. Encierra en un círculo los servicios que tiene la comunidad.

◇ Salud   ◇ Diversión   ◇ Seguridad   ◇ Educación

▷ **Imagina** que ocurre un incendio en la comunidad.
Discute con un compañero:

- ¿Crees que la comunidad puede atender esta emergencia?

D. Marca la alternativa correcta.

- Este mapa nos sirve para:

  ☐ encontrar un tesoro escondido en la comunidad.

  ☐ encontrar rutas y direcciones en la comunidad.

  ☐ llegar a tiempo a la escuela dentro de la comunidad.

7 Éstos son mis amigos

Con todos mis amigos,
comparto, hablo y me río.

El domingo,
juego cartas con Iván.
El lunes,
entono canciones con Andrés.
El martes,
subo al árbol con Raquel.
El jueves,
corro en la calle con Solimar.
¿Y el viernes,
puedo contigo jugar?

¡Lo que aprenderás!

- ¿Qué significa ser un buen amigo?
- ¿En qué se diferencian las letras **ga**, **go** y **gu** de las letras **ge** y **gi**?
- ¿Cómo escribimos el aumentativo de algunas palabras?
- ¿Qué es el nombre?
- ¿Cuándo usamos los dos puntos?
- ¿Cómo escribimos la **b**, la **k**, la **f**, la **j** y la **p** en letra cursiva?

Kilómetros de pescuezo

En un lugar que está requetelejos y hace tanto tiempo que nadie se acuerda cuánto, vivía una manada de jirafas. ¿Una manada? Sí, un montón de jirafas todas juntas.

¡Cómo eran de altas! Como una torre… no… un poco menos, ¡como una casa de diez pisos!

¡Y el pescuezo! Largo, largo, larguísimo. Como el camino de aquí hasta allá… no… un poco menos, ¡como diez niños tomados de las manos!

La cabeza chiquita, chiquita. Los ojos negros, renegros. Las pestañas arqueadas y brillantes. ¡Y qué color tan vistoso tenían las jirafas! Amarillo de girasoles, salpicado con marrón de chocolate.

Caminaban muy elegantonas, tranquilas. La verdad, no tenían apuro por llegar a ningún lado.

Pero yo, que las vi desde bien cerquita, descubrí algo muy extraño: los ojos de las jirafas eran tristones. Hasta me pareció que… *¡plic!* una lágrima… *¡plic!*, otra lágrima… *¡plic! ¡plic! ¡plic!*, tres lágrimas.

Me rasqué la cabeza. Volví a rascármela. Me la requeterrasqué.

"No puede ser", pensé. "Tan fuertes, tan graciosas, tan altas… ¿Por qué lloran? ¿Qué les pasa? ¿No encuentran novio?"

Las miré de arriba abajo. De las colas a las cabezas. De las patas de adelante a las patas de atrás.

Y cuando las miré de abajo para arriba… entonces sí me di cuenta de por qué lloraban.

Sus pescuezos eran tan kilométricos que las pobres jirafas estaban siempre lejos de sus amigos. Casi, casi no podían ver a los otros animales de la selva. ¡Y otra cosa peor! Nunca podían charlar con ellos, contar bromas, jugar a la ronda…

Eso sí. De vez en cuando algunos pajaritos volaban bien, bien alto, se posaban sobre los cuernitos de las jirafas y las alegraban con sus cantos. Entonces las lágrimas de las jirafas se secaban por un rato. Pero cuando las aves volvían a sus nidos, otra vez: ¡plic! ¡plic! ¡plic! ¡plic!

Un día pasó algo en la selva. ¡Espantoso! ¡Terrible! ¡Imposible de creer!

Empezó a llover, llover, llover… ¡Qué manera de llover!

Un día, dos días, muchísimos días sin parar. La enorme selva se convirtió en un enorme lago.

¡Qué susto se dieron los animales! No sabían qué hacer. Unos se treparon a los árboles. Otros se escondieron en los troncos. Algunos se metieron en sus cuevas.

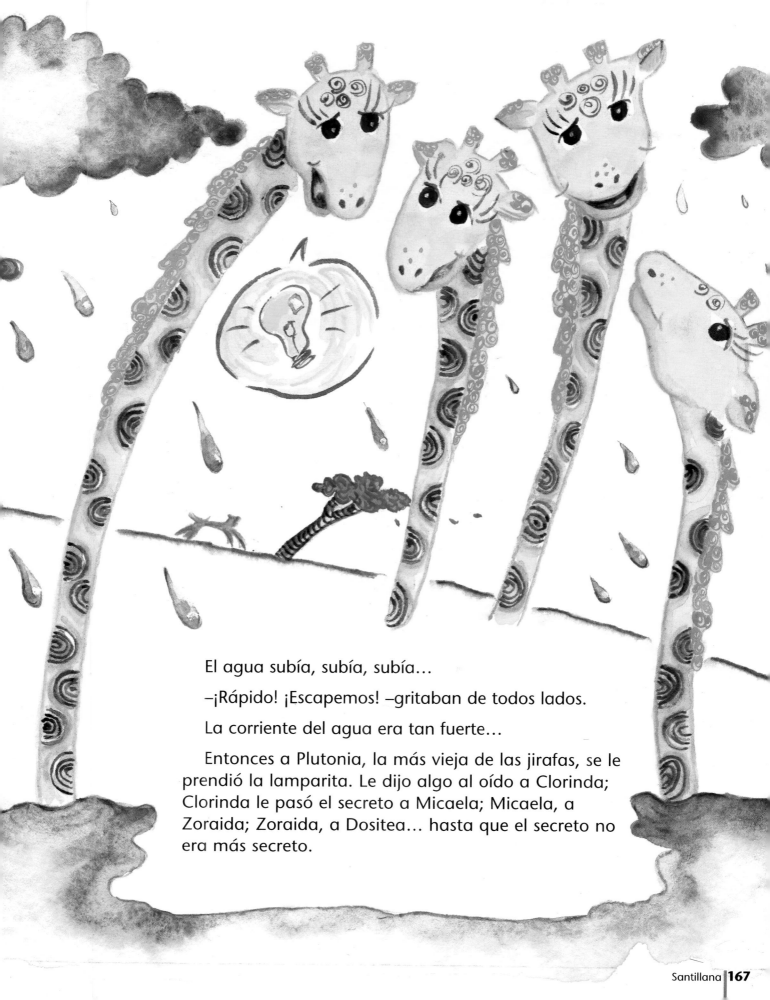

El agua subía, subía, subía…

–¡Rápido! ¡Escapemos! –gritaban de todos lados.

La corriente del agua era tan fuerte…

Entonces a Plutonia, la más vieja de las jirafas, se le prendió la lamparita. Le dijo algo al oído a Clorinda; Clorinda le pasó el secreto a Micaela; Micaela, a Zoraida; Zoraida, a Dositea… hasta que el secreto no era más secreto.

Una por una, abrieron las patas de adelante, bajaron las cabezas. ¡Todos los animalitos de la selva treparon y treparon por sus pescuezos, como si fueran ramas de árboles!

Después, alzaron a los animales pequeños.

Empujaron a los grandes.

Arrastraron a los medianos.

Siempre nada que te nada, con los pescuezos fuera del agua, hacia las tierras altas. ¡Cómo trabajaron!

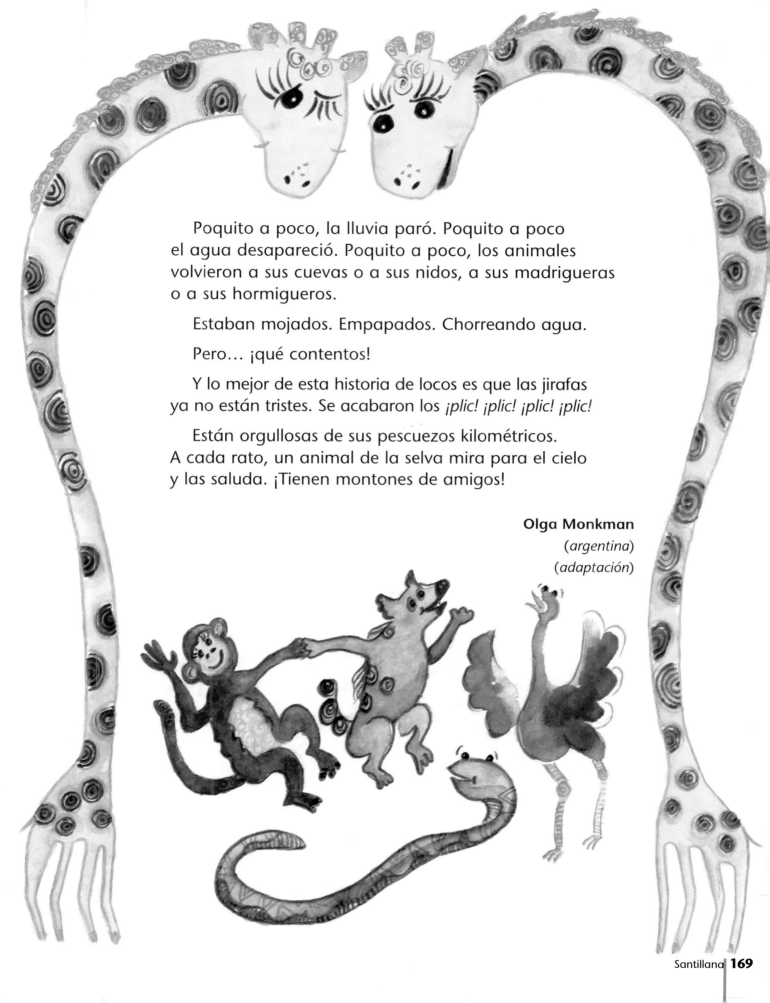

Poquito a poco, la lluvia paró. Poquito a poco
el agua desapareció. Poquito a poco, los animales
volvieron a sus cuevas o a sus nidos, a sus madrigueras
o a sus hormigueros.

Estaban mojados. Empapados. Chorreando agua.

Pero… ¡qué contentos!

Y lo mejor de esta historia de locos es que las jirafas
ya no están tristes. Se acabaron los ¡plic! ¡plic! ¡plic! ¡plic!

Están orgullosas de sus pescuezos kilométricos.
A cada rato, un animal de la selva mira para el cielo
y las saluda. ¡Tienen montones de amigos!

Olga Monkman
(*argentina*)
(*adaptación*)

Entiendo la lectura

A. Contesta:

• ¿Quiénes son los personajes principales del cuento?

_____

▷ **Descríbelos** físicamente.

Los personajes principales del cuento son _____

_____

_____.

B. Encierra en un círculo las características humanas de las jirafas del cuento.

Querían jugar
con sus amigos.

Lloraban.

Eran animales.

Corrieron.

Nadaron.

Estaban contentas.

Se sintieron orgullosas.

Querían hacer
chistes y hablar.

C. **Describe** cómo se sentían las jirafas.

1. Al inicio del cuento

_____

_____

2. Al final del cuento

_____

_____

D. **Marca** la contestación.

1. ¿Por qué estaban tristes las jirafas?

☐ Porque los animales las maltrataban.

☐ Porque no podían comer.

☐ Porque no podían compartir con sus amigos.

2. ¿Cuándo dejaron de estar tristes?

☐ Cuando se fueron de pasadía.

☐ Cuando celebraron sus cumpleaños.

☐ Cuando salvaron a sus amigos de la inundación.

E. **Recuerda** cómo se sintieron las jirafas en el cuento. **Comparte** con tus compañeros:

• ¿Qué has hecho para ayudar a un amigo? ¿Cómo te has sentido?

_____

_____

_____

Letras y sonidos

A. **Lee** las frases. **Pronuncia** en voz alta los sonidos de las letras destacadas.

1. lle**ga**r arriba
2. plan **ge**nial
3. amarillo de **gi**rasol
4. cuellos lar**go**s
5. al**gu**nos animales

- ¿Qué diferencia notas entre los sonidos de las letras **ga**, **go** y **gu** y los de las letras **ge** y **gi**?

La letra **g** tiene dos sonidos. Cuando está delante de las vocales **a**, **o** y **u**, suena fuerte. Cuando está delante de las vocales **e** o **i**, suena suave.

Ejemplos: lle**ga**r, **ge**nial, **gi**rasol, lar**go**s, al**gu**nos

B. **Colorea** las palabras, según esta clave:

 con **ga**    con **go**    con **gu**

amigos

gatear

agua

elegantonas

algo

lago

guapas

C. **Subraya** las letras **ge** y **gi** en estas palabras:

1. gimnasia   **2.** jengibre   **3.** gemelas   **4.** germinar

D. **Clasifica** en la tabla estas palabras:

◇ ligero   ◇ chiringa   ◇ gema

◇ gitana   ◇ lengua   ◇ gozar

ga, go, gu	ge, gi

E. **Completa** las palabras con **ga**, **ge**, **gi**, **gó** o **gu**.

man_____   ma_____a

_____lleta   ve_____tales   _____antes

Vocabulario

A. Lee estas parejas de palabras:

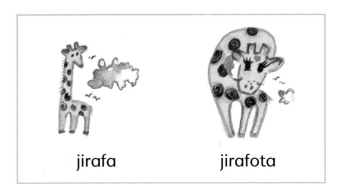

jirafa jirafota

perro perrazo

taza tazón

- ¿Qué relación hay entre las palabras de cada pareja?

Para formar el **aumentativo** de muchos nombres utilizamos los sufijos **-ota**, **-ote**, **-ón**, **-ona**, **-azo** y **-aza**.

Ejemplos: jiraf**ota**, perr**azo**, taz**ón**

B. Marca las palabras que sean aumentativos.

☐ carrazo   ☐ plumita   ☐ hierba   ☐ hojas

☐ guapetona   ☐ batatas   ☐ árbol   ☐ hormigota

C. **Copia** las oraciones y **escribe** los aumentativos de las palabras destacadas. **Usa** los sufijos -**azo** y -**aza**.

1. Las jirafas tienen dos **ojos**.

   _____

2. Los pajaritos son los **amigos** de las jirafas.

   _____

3. Plutonia era la más **vieja** de las jirafas.

   _____

4. Su amigo, el tigre, es un **gato**.

   _____

D. **Completa** las familias de palabras con los aumentativos. **Usa** los sufijos -**ote** y -**ota**.

animal	selva	pájaro
animalada	selvático	pajarera
animalito	selvita	pajarito

E. **Escribe** el aumentativo de estas palabras. **Usa** los sufijos -**ón** y -**ona**.

lágrima	elegante

_____   _____

mujer	hombre	triste

_____   _____   _____

Gramática

A. Lee esta oración:

Los animales juegan.

- ¿Cuál de las palabras en esa oración es un nombre?

Las palabras que se refieren a personas, animales, lugares o cosas se llaman **nombres**.

Ejemplos: **animales**, **Clorinda**

B. Escribe los nombres que hay en estas oraciones:

1. Los amigos cantaron. _____
2. Las jirafas lloran. _____
3. Los pajaritos las ayudaron. _____
4. La tormenta pasó. _____
5. El lago es grande. _____
6. La selva es hermosa. _____
7. Los árboles son altos y verdes. _____
8. Los animales viven felices. _____
9. Micaela corrió. _____
10. Clorinda comió mucho. _____

C. Lee cada pareja de nombres.

jirafa / Plutonia

niño / David

- ¿Qué diferencia notas entre las palabras de cada pareja?

Los **nombres propios** distinguen a una persona, un animal o un lugar de los demás. Comienzan con letra mayúscula.

Ejemplos: **Plutonia**, **David**

Los **nombres comunes** se refieren a una persona, un animal, un lugar o un objeto, y se escriben con letra minúscula.

Ejemplos: **jirafa**, **niño**

D. Colorea los nombres, según esta clave:

 común

 propio

Micaela   aves   Zoraida

isla   Puerto Rico   agua

pueblo   San Juan

Ortografía

A. Lee este texto. **Fíjate** en los signos de puntuación destacados.

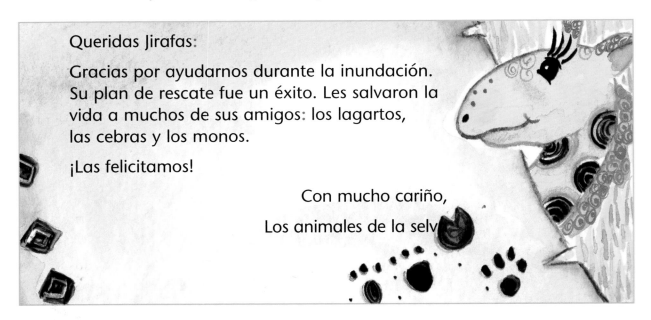

Queridas Jirafas:

Gracias por ayudarnos durante la inundación. Su plan de rescate fue un éxito. Les salvaron la vida a muchos de sus amigos: los lagartos, las cebras y los monos.

¡Las felicitamos!

Con mucho cariño,

Los animales de la selva

- ¿Para qué se usa ese signo de puntuación?

Usamos los **dos puntos** (:):

1. después del saludo en una carta.
2. antes de una enumeración que se anuncia.

Ejemplos: Queridas Jirafas:
Les salvaron la vida a muchos de sus amigos: los lagartos, las cebras y los monos.

B. Escribe los dos puntos donde sea necesario.

1. Los animales escribieron la carta con estos materiales lápices, crayolas y papel.

2. Los amigos de la selva les hicieron un homenaje a las jirafas con estas actividades un baile, una canción y un poema.

3. En el homenaje, las jirafas comieron estas frutas manzanas, guineos, chinas, uvas y fresas.

C. Lee cada carta. **Coloca** los dos puntos donde falten.

Queridos amigos

Gracias por el homenaje.

Cariñosamente,
Las Jirafas

Queridos amigos

Celebraremos el cumpleaños
de Plutonia el sábado.
Los esperamos.

Un abrazo,
Las Jirafas

Querida Plutonia

Felicidades en el día de tu
cumpleaños. Espero que lo
pases muy bien.

Te desea lo mejor,
La Cebra

Querida Cebra

Gracias por haber estado en
mi cumpleaños. Para mí, es
muy importante tu amistad.

Con mucho afecto,
Plutonia

D. Lee la carta. **Escribe** los dos puntos donde falten.

Querida prima Agustina

Lamento mucho que no hayas
podido venir a mi cumpleaños. Sé
que estabas enferma y que tenías
algunos malestares tos, estornudos,
fiebre y dolor de cabeza. Espero
que estés mejor.

Deseo verte pronto. Por ahora, me
despido.

Tu prima,

Plutonia

Caligrafía

A. Traza y **practica** estas letras:

b   b

k   k

f   f

j   j

p   p

B. Traza esta oración:

Las buenas jirafas

probaron el kiwi.

▶ **Copia** los dos nombres de esa oración.

1.

2.

Escritura creativa

A. Pega una foto de tu mejor amigo.

1. Describe a tu amigo.

_____

_____

_____

2. Explica por qué es especial.

_____

_____

_____

B. Une lo que escribiste y **forma** un párrafo.

_____

_____

_____

_____

Repasamos y jugamos

A. Lee este texto:

En la selva los animales son muy amigos. Todos los días se visitan para hablar, jugar y cantar.

Antes, las jirafas se sentían solitas. Hasta llegaron a desear tener cuellos más cortos, patas menos largas y pieles menos amarillas, para no parecerse al girasol.

Pero, después de entender que su altura podía ayudar a sus amigos, cambiaron de idea. Ahora, hasta les gusta presumir de lo lindas y geniales que son.

▶ **Marca** las palabras del texto, según esta clave:

   con **ga**, **go** o **gu**   con **ge** o **gi**

B. Completa cada familia de palabras con el aumentativo.

amarillo	cuello	lindas
amarillito	cuellito	linditas

C. Encierra en un círculo los nombres de cada oración. Luego, **escribe** si son comunes (**C**) o propios (**P**).

[ ] Plutonia, Clorinda, Micaela, Zoraida y Dositea se llevan bien.

[ ] Las jirafas estaban solitas.

[ ] Los animales hablan, juegan y cantan.

[ ] Todos son amigos.

D. Escribe los dos puntos que falten en esta carta:

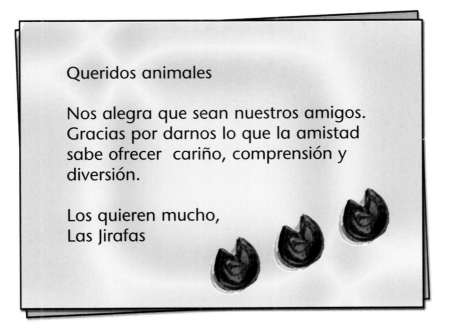

Queridos animales

Nos alegra que sean nuestros amigos. Gracias por darnos lo que la amistad sabe ofrecer cariño, comprensión y diversión.

Los quieren mucho,
Las Jirafas

E. Escríbele una carta a tu mejor amigo para agradecerle su amistad. **Sigue** estos pasos:

1. **Consigue** estos materiales: papel, lápiz, crayolas y un sobre.

2. **Comienza** con un saludo.

3. **Escribe** el mensaje de agradecimiento.

4. **Termina** con una despedida y tu firma.

5. **Adorna** el papel con dibujos de ustedes dos.

6. **Coloca** la carta en el sobre y **ciérralo**. Luego, **escribe** su nombre en el sobre.

7. **Envíasela** con otro compañero de clases.

8 Para comunicarme con todos

–Dígame, señora; dígame, señor:
¿qué son los medios de comunicación?

–Oye, mi niña querida,
si adivinas lo que digo,
sobre tres de ellos hoy aprenderás.

¡Información, información!
Sintoniza, por favor.
¡Una canción, una canción!
¿Cambiamos la estación?

En mis páginas verás
deportes, noticias,
anuncios y clima.
¿Cuál de todas leerás?

Desde el blanco ventanal
proyecto mil aventuras.
Te doy una pista audaz:
no me debes ver a oscuras.

¡Lo que aprenderás!

◆ ¿Cómo nos comunicamos?
◆ ¿En qué se diferencian las letras **gue** y **gui** de las letras **güe** y **güi**?
◆ ¿Qué son las palabras compuestas?
◆ ¿Qué son los nombres individuales y los colectivos?
◆ ¿Cómo dividimos las palabras en sílabas?
◆ ¿Cómo escribimos la **A**, la **O**, la **C** y la **Q** en letra cursiva?

Las dos risas

Carola es nueva en nuestro salón. Viene de Brasil y no sabe muchas palabras en español. ¡Qué risa nos da cuando ella trata de hablar como nosotros! Dice "obrigado", en lugar de "gracias"; "você", en lugar de "tú", y cosas así.

Cuando la maestra pregunta quién terminó su trabajo, Carola grita un "yoooo" tan largo que parece que estuviera cantando. La maestra tiene que apurarse a sacarle la hoja para que se calle.

A veces, Carola se enoja, porque no le salen nuestras palabras. Entonces, le da por romper los papeles. Hace bollos de papel y los tira por el piso. ¡Cómo nos reímos todos! Mientras más nos reímos, más bollos hace Carola, hasta que su cuaderno se queda sin papeles. A Susana, a Pablo y a mí, nos gusta tener una compañera extranjera. ¡Es muy divertido!

Ayer, Carola llegó tarde al salón, justo cuando la maestra nos leía un cuento. Ella se sentó en el fondo de la clase, en un almohadón, y escuchó hasta el final sin interrumpir.

Cuando la maestra terminó de contarnos la historia, cerró el libro y nos preguntó: "¿Les gustó el cuento?". "Yooooo", cantó Carola. ¡Cómo nos reímos! "Yooo… no entendí", volvió a decir ella. De repente, se puso a llorar. Lloraba y decía palabras en portugués. Como no paraba de llorar, la maestra llamó a la mamá para que fuera a buscarla.

Hoy Carola no vino al salón. Todos la extrañamos mucho. Antes de irnos a nuestras casas, la maestra nos dijo: "Si ustedes se ríen de Carola, ella no va a querer volver más al colegio".

Después, la maestra nos explicó que había dos risas. Ella dijo que era bueno reírse de algo, cuando eso pone alegres a todos los niños… Pero que no era bueno reírse de alguien, porque eso pone triste a un solo niño.

Al día siguiente, Carola volvió al salón. Al principio, estaba un poco enojada, pero cuando vio que nadie se reía de su "yooo", se puso contenta y le empezaron a salir mejor nuestras palabras. La maestra había traído un libro nuevo para leernos: era un cuento con muchos chistes. ¡Cómo se rieron los niños!

Lo que yo no entendí es por qué la maestra dijo
que esta vez la risa nos había hecho bien a todos.
¡Si los niños se reían de Tony, el payaso del cuento!
¿Será porque el pobre Tony no está en nuestra clase?

María Brandán Aráoz
(argentina)
(adaptación)

Entiendo la lectura

A. Ordena los sucesos del 1 al 5.

Los niños se reían
de Carola.

La maestra les habló
de las dos risas.

Carola no paró de llorar.

Los niños no se rieron
más de Carola.

Carola se enojaba
cuando no podía
hablar español.

B. Marca la contestación.

1. ¿Quién es la niña nueva?

☐ La sobrina de la maestra.

☐ Una estudiante extranjera.

☐ La hija del payaso Tony.

2. ¿Cuál es el problema de Carola?

☐ Que no sabe muchas palabras en español.

☐ Que a sus compañeros no les gustan los extranjeros.

☐ Que no sabe hacer bollos de papel.

C. Une cada ilustración con la oración que la describa.

> *Es bueno reírse de algo cuando eso pone alegres a todos los niños.*

> *No es bueno reírse de alguien porque eso pone triste a esa persona.*

D. Contesta:

1. ¿Qué ocurrió cuando los niños dejaron de burlarse de Carola? ¿Por qué crees que ocurrió eso?

_____

_____

_____

2. ¿Cuál es la enseñanza del cuento?

_____

_____

_____

Letras y sonidos

A. **Lee** las oraciones y **observa** las palabras destacadas.

1. Carola habla **portugués**.

2. Pablo ve una **cigüeña**.

- ¿Qué ocurre con el sonido de la **u** en cada palabra?

Para que suene la **u** en **gue** o **gui**, debes escribir sobre ella
dos puntitos (**ü**). Este signo ortográfico se llama **diéresis**.

Ejemplos: **cigüeña**, **güimo**

Si no tiene diéresis la **u** que va antes de la **i** o de la **e**,
entonces, no se pronuncia.

Ejemplos: **portugués**, **alguien**

B. **Colorea** las palabras, según esta clave:

 con **gue** o **gui**

con **güe** o **güi**

| piragüero | guiñar | merengue | pingüino |

C. Escribe la diéresis cuando sea necesario.

guía

guiro

desague

guirnalda

hormiguero

Mayaguez

D. Completa estas oraciones con las palabras correctas.

1. Susana tocaba la _____.   (*guitarra / güitarra*)

2. Carola cantaba en _____.   (*portugués / portugüés*)

3. Pablo regaba las flores con la _____.   (*manguera / mangüera*)

4. Un poco de _____ mojó a las niñas.   (*aguita / agüita*)

5. Pablo sintió mucha _____.   (*verguenza /vergüenza*)

Vocabulario

A. Lee:

¡Qué lindo **cruzacalles!**

- ¿Cómo están formadas las palabras **bienvenidos** y **cruzacalles**?

Las palabras compuestas son las que se forman de la unión de dos palabras simples.

Ejemplos: bienvenido → bien + venido

cruzacalles → cruza + calles

B. Lee las palabras compuestas y **divídelas** en palabras simples.

telaraña	tela + araña
hierbabuena	_____ + _____
picaflor	_____ + _____
girasol	_____ + _____
aguaviva	_____ + _____

C. Forma las palabras compuestas.

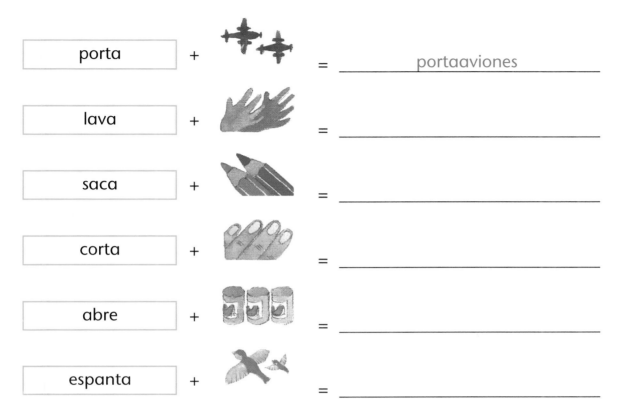

porta + = portaaviones

lava + =

saca + =

corta + =

abre + =

espanta + =

D. Forma palabras compuestas con las simples.

◇ porte   ◇ olas   ◇ uñas   ◇ labios   ◇ cabezas

◇ bus   ◇ (choques)   ◇ (caídas)   ◇ tiempo   ◇ móvil

Palabras simples	Palabras compuestas	
para	parachoques	paracaídas
pinta		
pasa		
auto		
rompe		

Gramática

A. Observa la ilustración y **lee** los nombres.

rosa   rosal

Los **nombres individuales** nombran un solo objeto.

Ejemplo: **rosa**

Los **nombres colectivos** nombran un conjunto de objetos.

Ejemplo: **rosal**

B. Marca los nombres colectivos.

☐ vecindario   ☐ palomar

☐ plato   ☐ hormiguero

☐ libro   ☐ orquesta

☐ coro   ☐ fuente

☐ manada   ☐ ganga

☐ persona   ☐ arboleda

☐ payaso   ☐ abrigo

C. Une cada nombre individual con el colectivo que le corresponda.

plátano ▶   ◀ trigal

café ▶   ◀ pajar

guayaba ▶   ◀ cerezal

cereza ▶   ◀ platanal

trigo ▶   ◀ cafetal

paja ▶   ◀ guayabal

D. Colorea los nombres, según esta clave:

individuales   colectivos

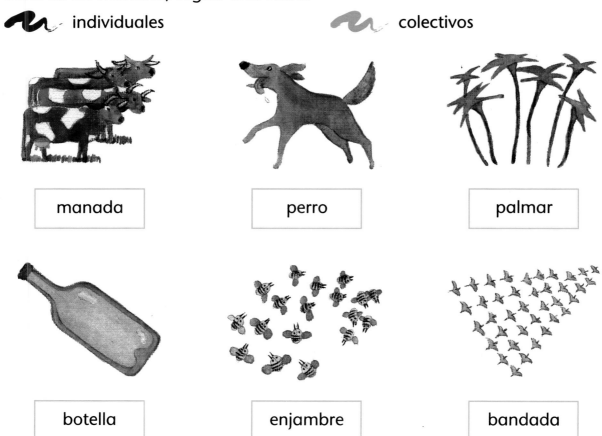

manada   perro   palmar

botella   enjambre   bandada

Ortografía

A. Lee las palabras y **fíjate** en los signos de puntuación destacados.

ri - sa   pa - ya - so

• ¿Para qué sirve ese signo de puntuación entre las sílabas?

Usamos el **guion** para dividir las palabras en sílabas.

Ejemplo: ri - sa

Una **sílaba** es un sonido o conjunto de sonidos que se pronuncia de una sola vez.

Ejemplo: **pa - ya - so**

B. Une las sílabas y **escribe** las palabras.

1. gri - ta

2. pi - so

3. llo - ra - ba

4. bo - llos

5. a - le - gres

6. di - fí - cil

C. Divide las palabras en sílabas.

Susana	sonrisas	Carola

_____   _____   _____

Brasil	casa	niños

_____   _____   _____

D. Encierra en un círculo las palabras que estén divididas
correctamente. **Corrige** las incorrectas.

mu - ñe - ca

mes - a

sa - ló - n

_____   _____   _____

pa - la - bras

a - mi - gui - tos

_____   _____

ho - jas

pa - pe - les

li - br - o

_____   _____   _____

A. Traza y **practica** estas letras:

$\mathcal{A}$ $\mathcal{a}$ $\mathcal{a}$

$\mathcal{O}$ $\mathcal{O}$ $\mathcal{O}$

$\mathcal{C}$ $\mathcal{C}$ $\mathcal{C}$

$\mathcal{Q}$ $\mathcal{Q}$ $\mathcal{Q}$

B. Traza esta oración:

¿Qué les pasa a Alex,

a Orlando y a Carola?

Escritura creativa

- **Escribe** una carta para comunicarle algo bonito a Carola.
  Sigue estos pasos:

  1. **Comienza** con la fecha de hoy.

  2. **Sigue** con el saludo.

  3. **Escribe** tu mensaje.

  4. **Termina** con la despedida y tu firma.

Repasamos y jugamos

A. Lee este texto:

Ayer fue el cumpleaños de Carola.
Yo le regalé uno de mis güimos.
Pablo le regaló un güiro. Susana
tocó su guitarra. Le pedimos a
Carola que cantara en portugués.
Le dio un poco de vergüenza,
pero cantó muy bonito.

 Subraya las palabras, según esta clave:

 con **gue** o **gui**   con **güe** o **güi**

B. Separa las palabras simples que forman estas palabras compuestas:

correcaminos	=	_____ + _____

lavaplatos	=	_____ + _____

pisapapeles	=	_____ + _____

pasamanos	=	_____ + _____

C. Completa las oraciones con los nombres colectivos.

1. La _____ tocó una bonita melodía.   (*banda / músico*)

2. La _____ ladró toda la noche.   (*perro / jauría*)

3. El _____ no cabía en el estadio.   (*persona / gentío*)

4. El _____ jugó muy bien.   (*equipo / jugador*)

D. Divide en sílabas estas palabras. **Usa** el guion.

| enojada | dibujos | todos |

_____   _____   _____

| Tony | clase |

_____   _____

E. Únete a tus compañeros. **Sigan** las instrucciones y **construyan** un tablón de expresión pública para su salón de clases.

1. **Consignan** estos materiales:

   - un cartón
   - una cartulina blanca
   - papel de construcción
   - pega
   - unas tijeras

2. **Peguen** una cartulina blanca en un pedazo de cartón.

3. **Corten** tiras de papel de construcción y **decoren** las orillas del cartón.

4. **Grapen** un cordón en la parte de atrás.

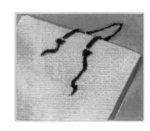

5. **Cuelguen** el tablón en una pared visible.

6. **Coloquen** con tachuelas los mensajes que quieran comunicar.

9 Campos, pueblos y ciudades

Ciales

Cayey

A los pueblos yo me voy.
Me voy: ¡hoy me voy!

Llego a Mayagüez; voy veloz
a comerme un mangó.

Subo y veo a Ciales en la colina;
a Barranquitas, en la neblina.

Paso a Ponce en el sur;
veo el mar siempre azul.

En Naguabo, como arepas;
y pescados, en Culebra.

Ya regreso a San Juan,
nuestra linda capital.

San Juan

Ponce

¡Lo que aprenderás!

◆ ¿Cómo son los pueblos
   de Puerto Rico?
◆ ¿Cómo identificamos los
   diptongos en las palabras?
◆ ¿Qué son las palabras
   onomatopéyicas?
◆ ¿Qué es el adjetivo?
◆ ¿Cómo dividimos en
   sílabas las palabras
   con diptongos?
◆ ¿Cómo escribimos la **E**,
   la **P**, la **R** y la **B** en letra
   cursiva?

Calles y caminos

Las ciudades tienen calles y
el campo tiene caminos,
prados cubiertos de flores
y puentes sobre los ríos.

La ciudades tienen fábricas,
mucha gente, mucho ruido...
Y en el campo sólo se oyen
de los pájaros los trinos...

En la ciudad son tan altos
las casas, los edificios,
que el cielo queda allí arriba,
lejano, como escondido.

Las calles de la ciudad
un día tras otro sigo.
Pero sueño con el campo
y sus floridos caminos.

Eleanor Farjeon
(*inglesa*)

Caminos de Arecibo

Caminitos que bajan de Ciales.
Caminitos que bajan de Utuado.
Caminitos de curvas y cuestas.
Caminitos de a pie y a caballo.
Caminitos hermanos del río.
Caminitos vestidos de blanco.
Caminitos del ruiseñor y la reinita.
Caminitos del pitirre y el guaraguao.
Caminitos manatieños.
Caminitos camuyanos.
Caminitos de orillas del mangle.
Caminitos de suelos salados.

Caminitos que van a Arecibo,
   al Jardín Dorado
   de la Hija del Caribe,
   a la ciudad de los caños
   y del Río Grande, grande,
   y hondo y largo y ancho.
Caminitos del alma.
Caminitos del pecho y del costado.
Caminitos que anduvo El Caribe.
Caminitos que en sueños yo ando.

Luis Llorens Torres
(*puertorriqueño*)

Entiendo la lectura

Calles y caminos

A. Colorea las descripciones, según esta clave:

 Describe la ciudad.

 Describe el campo.

prados cubiertos de flores

puentes sobre los ríos

fábricas

casas y edificios

B. Une cada sentido con la oración en la que se usa.

audición

vista

El cielo queda allí arriba, lejano, como escondido.

En el campo sólo se oyen de los pájaros los trinos...

C. Relee la última estrofa del poema y **contesta:**

- ¿Dónde prefiere vivir la autora? ¿Por qué crees que prefiere vivir ahí? _____

_____

Caminos de Arecibo

A. Marca lo que tienen los caminos de Arecibo.

☐ mangles ☐ fábricas ☐ suelos salados ☐ edificios

☐ pájaros ☐ curvas y cuestas ☐ caballos

B. Colorea los pueblos que se mencionan en el poema.

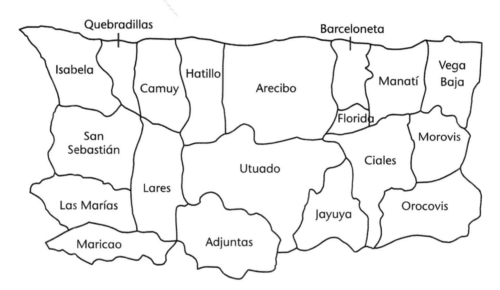

- ¿Cómo se relacionan esos pueblos con Arecibo?
  ¿Por qué los menciona el poema?_____

_____

C. Comparte con tus compañeros:

- ¿Cómo crees que se siente el poeta en Arecibo?
  ¿Por qué crees que se siente así?

D. Compara este poema con el primero. **Completa** la oración.

- Los poemas se parecen en _____

_____.

Letras y sonidos

A. **Lee** en voz alta los nombres de estos pueblos.
Fíjate en las vocales destacadas.

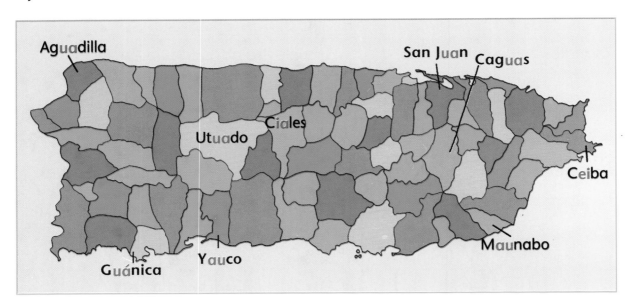

- ¿Qué forman esas vocales?

Los **diptongos** se forman de la unión de dos vocales.
Pueden formarse con una vocal abierta (**a**, **e**, **o**)
y otra cerrada (**i**, **u**) o dos vocales cerradas.

Ejemplos: Ag**ua**dilla, C**ei**ba, C**ia**les

B. **Subraya** los diptongos que encuentres en estas palabras:

1. reinita
2. manatieño
3. suelo
4. sierra
5. guaraguao

6. tierra
7. caimán
8. viento
9. suave
10. piedra

11. cuica
12. piezas
13. congestión
14. igualdad
15. miércoles

C. Une cada palabra con el diptongo que contenga.

ciudad ▶	◀ ue
aire ▶	◀ ui
ruido ▶	◀ ai
cielo ▶	◀ iu
pueblos ▶	◀ ie

D. Colorea las ventanas que contengan diptongos.

Vocabulario

A. Lee esta tirilla:

• ¿En qué se parecen las palabras destacadas?

Las palabras **onomatopéyicas** son las que imitan sonidos.

Ejemplo: ¡Cómo me molesta el **bip** de las bocinas!

B. Encierra en un círculo las palabras onomatopéyicas.

 1. ¿Oyes el talán de las campanas?

 2. Sólo escuchábamos el tap de los zapatos de la maestra.

 3. El collar de mi perra hace un tilín cada vez que ella brinca.

 4. Mi abuela tiene un reloj que nos despierta con su cucú.

C. Escribe las palabras onomatopéyicas que estén en cada burbuja.

_____

_____

_____

_____

Gramática

A. Lee este texto:

Una rosa roja,
una linda violeta,
una amapola anaranjada
y una vaca blanca y negra.

▶ **Une** cada palabra con su descripción.

rosa ▶

violeta ▶

amapola ▶

vaca ▶

◀ linda

◀ blanca y negra

◀ anaranjada

◀ roja

Las palabras que nos dicen cómo son las personas,
los animales, los objetos y los lugares se llaman **adjetivos**.

Ejemplos: rosa **roja**, **linda** violeta,
amapola **anaranjada**

B. Encierra en un círculo los adjetivos.

1. veloz guaraguao

2. jardín dorado

3. verde monte

4. mar enorme

5. cielo azul

6. preciosa reinita

7. hermoso pueblo

8. gente cariñosa

9. camino largo

C. Escribe los adjetivos.

1. Sueño con los floridos caminos del campo. _____

2. Arecibo tiene caminitos de suelos salados. _____

3. El río es grande, hondo, largo y ancho. _____

4. La graciosa reinita saluda al ruiseñor. _____

5. El pequeño pitirre persigue al guaraguao. _____

6. Aquí cocinan platos deliciosos. _____

7. El ruiseñor tiene un canto bello. _____

8. Busco un campo florido. _____

D. Observa la ilustración. **Escribe** un adjetivo diferente para cada fruto.

chinas

guineos

pimientos

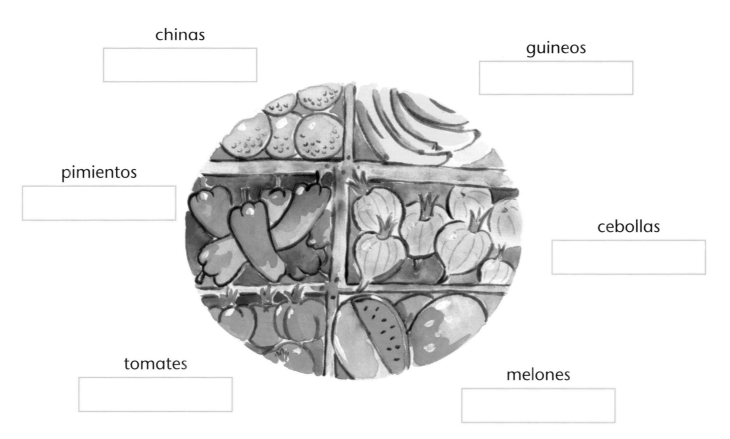

cebollas

tomates

melones

Ortografía

A. **Observa** la división silábica de estas palabras.
Fíjate en las sílabas destacadas.

tien - da   res - tau - ran - te   es - cue - la

far - ma - cia   bi - blio - te - ca

- ¿Qué contienen las sílabas destacadas?

> Las vocales que forman un **diptongo** permanecen juntas
> en la misma sílaba, cuando dividimos la palabra.
>
> *Ejemplos*: ti**e**n - da, res - t**au** - ran - te, es - c**ue** - la

B. **Colorea** las sílabas que contengan diptongos.

ci	rue	la

pi	mien	to

a	pio

a	gua	ca	te

nue	ces

C. Divide en sílabas estas palabras. Luego, **marca** los diptongos.

1. ambulancia _____

2. camión _____

3. auto _____

4. lluvia _____

5. paraguas _____

6. edificio _____

7. guardián _____

8. guagua _____

9. limpiar _____

10. puesto _____

D. Busca en la sopa de letras los nombres de las ilustraciones.
Luego, **escríbelos** y **divídelos** en sílabas.

a	b	c	r	d	e	f	g	h
c	o	l	u	m	p	i	o	c
a	f	u	e	n	t	e	b	d
e	f	g	d	a	v	i	ó	n
e	s	t	a	t	u	a	h	i

estatua

__es - ta - tua__

Caligrafía

A. Traza y **practica** estas letras:

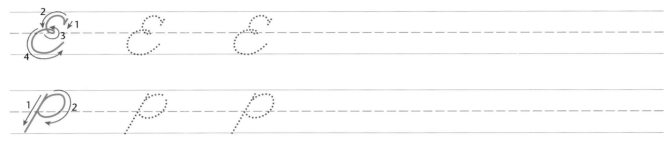

B. Traza esta oración:

▷ **Copia** las palabras con diptongos.

1. _____

2. _____

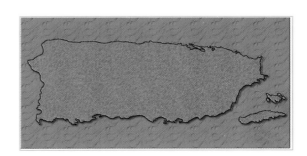

Escritura creativa

A. **Haz** dibujos o **pega** fotos de tu pueblo.

▎**Contesta:**

1. ¿Dónde vives? _____

2. ¿Vives en una comunidad que está en el campo o en la ciudad?

_____

3. ¿Cómo es?

_____

_____

B. **Une** tus contestaciones y **escribe** un párrafo.

_____

_____

_____

_____

_____

_____

_____

Repasamos y jugamos

A. Lee este texto:

Los niños salen de Bayamón,
rumbo a Boquerón.

Antes, quieren ver los caminos
del pueblo de Arecibo.
Luego, llegarán a Mayagüez
y, mucho después,
beberán agua de coco
en las playas de Cabo Rojo.

▶ **Subraya** las palabras con diptongos.

B. Lee las oraciones y **escribe** las palabras onomatopéyicas.

1. A la niña le gusta escuchar el plach
de sus pies en el agua.   _____

2. Los dos juegan con la arena y escuchan
el ooo del viento.   _____

3. El niño canta un la, la, la mientras nada.   _____

C. Encierra en un círculo los adjetivos.

1. arena ardiente   **5.** paisaje dorado

2. mar azulado   **6.** agua salada

3. brisa fresca   **7.** día caluroso

4. sol caliente   **8.** tarde divertida

D. **Divide** en sílabas estas palabras. Luego, **subraya** los diptongos.

puente

_____

hierba

_____

huerto

_____

E. **Construye** un barco, para que navegues por el mar Caribe. **Sigue** estos pasos:

1. Consigue estos materiales:

- una cartulina
- pega
- un rollo de lana
- tela de varios colores
- unas tijeras
- lápices de colores

2. Dibuja el barco en la cartulina.
Píntalo con tus colores preferidos.

3. Forma las olas con pega.
Cubre la pega con lana.

4. Recorta pedacitos de tela.
Pégalos en la vela del barco.

5. Dibuja el cielo con nubes, pájaros y el Sol.

¡Ya puedes navegar con tu barco por el mar Caribe!

Leer para aprender

Observo y leo

Pasadía en San Juan

Enero
2007

domingo
16

Pasadía familiar en San Juan

8:00 ➤

9:00 ➤ Visitar el Museo del Niño

10:00 ➤

11:00 ➤ Visitar el Morro

12:00 ➤ Almorzar

1:00 ➤

2:00 ➤ Visitar el Museo de Arte de

3:00 ➤

4:00 ➤ Ir al cine

5:00 ➤

Notas:

Comprendo

A. Ordena del 1 al 5 las actividades del pasadía.

☐ Visitar el Morro   ☐ Almorzar   ☐ Ir al cine

☐ Visitar el Museo del Niño   ☐ Visitar el Museo de Arte de Puerto Rico

B. Contesta:

1. ¿Cuánto tiempo tomará cada actividad del calendario?

   • La visita al Museo del Niño   _____

   • La vista al Morro   _____

   • El almuerzo   _____

   • La visita al Museo de Arte de Puerto Rico   _____

2. ¿Crees que alguna de las actividades necesita más tiempo? ¿Cuál?

   _____

C. Marca lo que la familia debió hacer antes de comenzar su pasadía.

☐ Transportarse a San Juan.   ☐ Comprar piraguas.

☐ Planificar las actividades.   ☐ Visitar a la abuela.

D. Explica:

1. ¿Por qué crees que la familia diseñó este itinerario?

   _____

   _____

2. ¿Para qué nos sirven los calendarios?

   _____

   _____

10 Conozco mi isla

Prohibido tirar basura

Tan hermosa es mi isla,
con su gente y sus paisajes,
que siento una gran tristeza
cuando dañan sus parajes.

¡Hermanitas y hermanitos!
Puerto Rico es nuestro hogar.
Cuidémoslo, y que los niños
tengan siempre donde jugar.

¡Lo que aprenderás!

◆ ¿Cómo son Puerto Rico
   y su gente?
◆ ¿Qué son los hiatos?
   ¿Cómo los identificamos
   en las palabras?
◆ ¿Qué son los gentilicios?
◆ ¿Qué es el verbo?
◆ ¿Cómo dividimos en
   sílabas las palabras con
   hiatos?
◆ ¿Cómo escribimos la **H**,
   la **K**, la **L** y la **Ll** en letra
   cursiva?

Tierra, mar y aire

Tierra

Es antillana
la bella tierra
de la guajana.

Tierra sonora
llena de ritmos
y aves canoras.

En primavera,
cubre de alfombras
las carreteras.

Abre el arado
su corazón
para los granos.
¡Verde limón!
¡Naranja dulce!
¡Rico mangó!

Es tierra isleña
de buena gente
que vive y sueña.

Hace caminos
para el boricua
y sus vecinos.

Y el labrador
suda esa tierra
de sol a sol.

Mar

Florece el mar
sobre las rocas
y el arenal.

Lanza a los niños
rizada espuma
de blancos lirios.

También les deja
sobre la arena
níveas almejas.

Ellos galopan
en caballitos
de largas colas.

Los marineros
cantan alegres
en sus veleros.

Barcos de carga
van lentamente
surcando el agua.
Arrulla el mar
peces y algas
junto al coral.

Y ya en albor,
le abre las puertas
al pescador.

Aire

El aire danza
sobre los ríos
y las montañas.

Iza chiringas
para los niños
de albas sonrisas.

Alto en el cielo
lleva ovejitas
por los senderos.

Y en las acacias
el aire toca
su fina flauta.

Un aguacero
trae de las nubes
con pie ligero.

Muy diligente
el arco iris
le tiende un puente.

Mago en las olas,
el aire saca
blancas palomas.

Y en alta mar
echa las velas
a navegar.

Isabel Freire de Matos
(*puertorriqueña*)

Entiendo la lectura

A. Completa este diagrama:

```
              ┌─────────────────────────────┐
              │      Título del poema:      │
              │  _____  │
              └─────────────────────────────┘
                           │
   ┌──────────────────┐ ┌──────────────────┐ ┌──────────────────┐
   │ Título de la     │ │ Título de la     │ │ Título de la     │
   │ primera parte:   │ │ segunda parte:   │ │ tercera parte:   │
   │                  │ │                  │ │                  │
   │ _____  │ │ _____  │ │ _____  │
   └──────────────────┘ └──────────────────┘ └──────────────────┘
```

▶ **Contesta**:

- ¿Cómo se relacionan las partes con el título del poema?

  _____

  _____

B. Clasifica estos elementos en la tabla, según la parte del poema
en la que aparecen.

- ◇ primavera
- ◇ velas
- ◇ chiringas
- ◇ palomas
- ◇ peces
- ◇ algas
- ◇ granos
- ◇ labrador
- ◇ caminos
- ◇ almejas
- ◇ pescador
- ◇ nubes

Tierra	Aire	Mar

C. Une los versos con lo que representen.

En primavera,
cubre de alfombras
las carreteras.

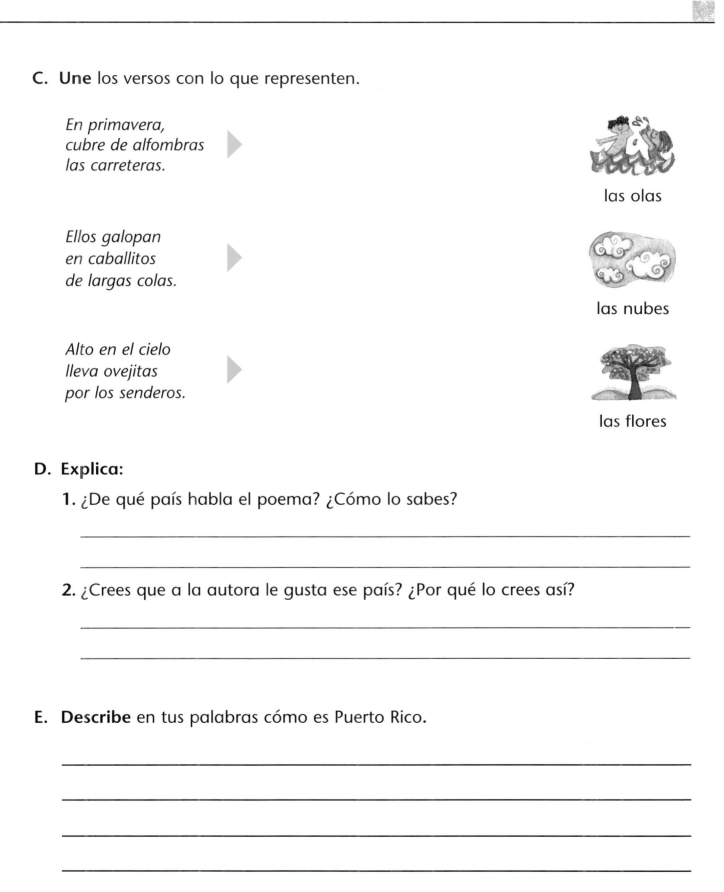

las olas

Ellos galopan
en caballitos
de largas colas.

las nubes

Alto en el cielo
lleva ovejitas
por los senderos.

las flores

D. Explica:

1. ¿De qué país habla el poema? ¿Cómo lo sabes?

_____

_____

2. ¿Crees que a la autora le gusta ese país? ¿Por qué lo crees así?

_____

_____

E. Describe en tus palabras cómo es Puerto Rico.

_____

_____

_____

_____

Letras y sonidos _____

A. **Lee** en voz alta estas palabras. **Fíjate** en las vocales destacadas.

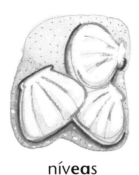

nív**ea**s

can**oa**

r**ío**

- ¿Qué tipo de vocales son: abiertas o cerradas? ¿Pronunciaste las vocales juntas o separadas?

Los **hiatos** se forman con dos vocales abiertas o con una vocal cerrada acentuada y otra abierta.

Ejemplos: nív**ea**s, can**oa**, r**ío**

B. **Subraya** los hiatos.

1. Talia es de Humacao.

3. Matías es de Loíza.

2. Noel es de Comerío.

4. Paola es de Toa Baja.

C. **Escribe** los hiatos de estas palabras:

1. tío _____

2. guineo _____

3. comía _____

4. maíz _____

5. oído _____

6. león _____

D. Identifica las palabras, según esta clave:

H = Contiene un hiato.   **D** = Contiene un diptongo.

☐ traer   ☐ boa   ☐ tierra

☐ boricua   ☐ huir   ☐ poema

☐ guajana   ☐ aire   ☐ aéreo

☐ sembradío   ☐ mío   ☐ veo

E. Colorea los nombres de los pueblos que tengan hiatos.

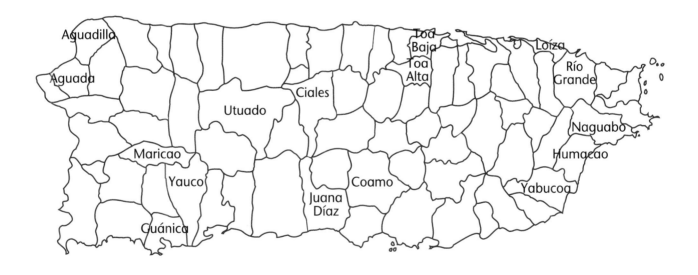

▶ **Cópialos.**

1. _____   4. _____   7. _____

2. _____   5. _____   8. _____

3. _____   6. _____   9. _____

Vocabulario

A. Lee el texto. **Fíjate** en las palabras destacadas.

La plena es **ponceña**.

El mangó **mayagüezano** es el mejor.

La gente **lajeña** es simpática.

▶ **Contesta:**

1. ¿De dónde es la plena?, ¿y el mangó?, ¿y la gente simpática?

2. ¿Qué tienen en común las palabras destacadas en esas oraciones?

Los gentilicios son adjetivos que indican el lugar de origen de una persona o de un objeto. Se escriben con letra minúscula.

Ejemplos: ponceña, mayagüezano, lajeña

B. Escribe el gentilicio.

1. Saúl es de Coamo. Él es _____.

2. Su abuela es de Yauco. Ella es _____.

3. Su papá nació en Vieques. Él es _____.

C. Lee el texto. Luego, **une** a cada niño con el gentilicio que le corresponda.

> Saúl tiene vecinos que son de otros países. Luisa es de Cuba. Miosotis es de República Dominicana. Blondel es de Haití. Bob es de Jamaica.

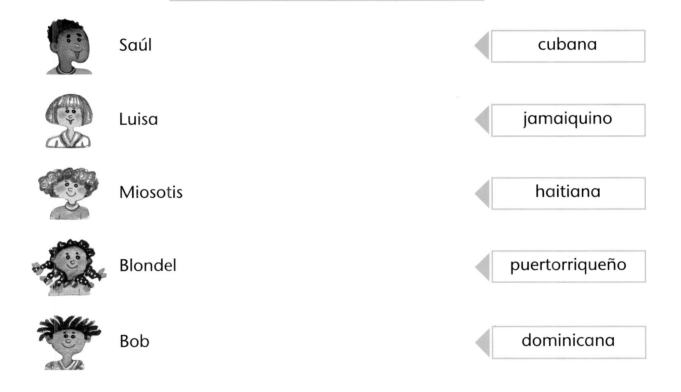

Saúl	cubana
Luisa	jamaiquino
Miosotis	haitiana
Blondel	puertorriqueño
Bob	dominicana

D. Escribe el gentilicio para cada comida.

1. Esta comida es de México.

Es comida _____.

2. Esta comida es de Italia.

Es comida _____.

Gramática

A. Escribe:

lo que hace Matías.

lo que hacen Matías y Noelia.

_____

_____

El **verbo** es la parte de la oración que expresa la acción.
El verbo cambia de acuerdo con la persona que realiza
la acción.

Ejemplos: Matías **vuela** su chiringa.

Matías y Noelia **vuelan** sus chiringas.

B. Encierra en un círculo el verbo.

1. Matías y Noelia observan cotorras
   en El Yunque.

2. Noelia va en guagua a San Juan.

3. Matías pasea por el Morro.

4. Noelia y Matías oyen las campanas
   de la Catedral.

5. Los niños regresan a sus casas.

C. Completa las oraciones con el verbo adecuado.

1. Noelia _____ mangó. (*come / comen*)

2. Noelia y Matías _____ el canto de las aves. (*oye / oyen*)

3. Los niños _____ en un velero. (*va / van*)

4. La niña _____ árboles. (*siembra / siembran*)

5. El niño _____ la bandera. (*saluda / saludan*)

D. Completa el texto con los verbos adecuados.

El arco iris _____ en el cielo. El viento
(*brilla / brillan*)

_____ las cabecitas de los niños. Las aves
(*acaricia / acarician*)

_____ en los árboles. El mangó y la china
(*canta / cantan*)

se _____ suavemente. Los niños boricuas
(*mece / mecen*)

_____ y _____ alegres.
(*corre / corren*) (*juega / juegan*)

Ortografía

A. **Observa** la división silábica de estos nombres.
Fíjate en las vocales destacadas.

Talía
Ta - lí - **a**

Saúl
S**a** - **ú**l

Noel
N**o** - **e**l

Matías
Ma - tí - **a**s

Paola
P**a** - **o** - la

- ¿Qué forman las vocales destacadas? ¿Qué ocurre con esas vocales en la división silábica?

Las vocales que forman un hiato se separan, cuando dividimos la palabra en sílabas.

Ejemplos: Ta - lí - **a**, S**a** - **ú**l, N**o** - **e**l, Ma - tí - **a**s, P**a** - **o** - la

B. **Divide** en sílabas estos verbos:

oír

_____

batea

_____

veo

caer

_____

reír

_____

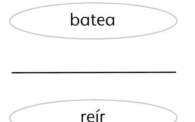

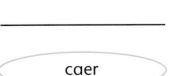

C. Subraya los hiatos y **divide** en sílabas las palabras.

mareo

rocío

egoísta

_____

_____

_____

crear

caoba

aeroplano

_____

_____

_____

D. Completa el crucigrama. Luego, **copia** las palabras y **divídelas** en sílabas.

1. ___ ___ ___
2. ___ e ó ___
3. c o p e r r
4. ___ e r
   t
   o

1. _____ ▶ _____

2. _____ ▶ _____

3. _____ ▶ _____

4. _____ ▶ _____

A. Traza y **practica** estas letras:

(letras punteadas para trazar: Ka, K, L, Ll)

B. Completa la oración con el verbo adecuado. **Trázala**.

◇ fue   ◇ fueron

Hilda y Karen

a Luquillo.

Escritura creativa

● **Observa** estos paisajes puertorriqueños. **Escoge** uno donde
te gustaría estar y **escribe** qué harías allí.

_____

_____

_____

_____

_____

_____

_____

Repasamos y jugamos

A. Lee este texto:

Todos los niños son amigos: **Saúl**, Noel, Talía, Matías, Noelia y Paola. Después de hacer sus **tareas**, sacan sus bicicletas para aventurar. Cuando pasan cerca del árbol lleno de bejucos de don Ramón, Saúl grita: "¡Una **boa**!". Luego, ven el gato de doña Carmen, y **Paola** exclama: "¡Cuidado con el **león**!".

Aunque quisieran seguir sus aventuras, se dan cuenta de que ya son las seis. Se miran y **sonríen**. Es la hora de la carrera y Noelia los anima: "¡A ver quién llega primero a su casa!".

Copia las palabras destacadas y **encierra** en un círculo los hiatos. Luego, **divídelas** en sílabas.

1. S(aú)l   Sa - úl
2. _____   _____
3. _____   _____
4. _____   _____
5. _____   _____
6. _____   _____

B. Completa las oraciones con los verbos adecuados.

1. Los niños _____ sus tareas.   (*hace / hacen*)

2. Noelia _____ bicicleta.   (*corre / corren*)

3. Saúl _____ una boa.   (*imagina / imaginan*)

4. El gato _____ al árbol.   (*trepa / trepan*)

5. Paola y Talía _____ la carrera.   (*ganó / ganaron*)

C. Lee cada texto y **escribe** el gentilicio.

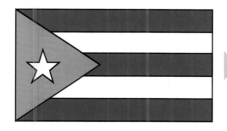

Ésta es la bandera de Cuba. La bandera _____ tiene un triángulo rojo con una estrella en el medio, dos franjas blancas y tres franjas azules.

Ésta es la bandera de México. La bandera _____ tiene una franja verde, una blanca y una roja. Además, tiene un escudo en el medio.

D. Crea la bandera de Puerto Rico. **Sigue** estos pasos:

1. **Consigue** estos materiales:

   - una cartulina blanca
   - un lápiz
   - unas tijeras
   - pega
   - papel de construcción rojo
   - papel de construcción azul turquesa
   - papel de construcción blanco

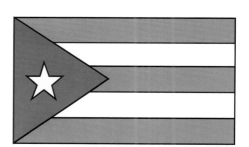

2. **Forma** las tres franjas rojas con el papel de construcción rojo. **Pégalas** sobre la cartulina, según su posición en la bandera.

3. **Forma** las dos franjas blancas con el papel de construcción blanco. **Pégalas** en la cartulina.

4. **Forma** el triángulo azul con el papel de construcción azul turquesa. **Pégalo** en la cartulina.

5. **Dibuja** la estrella sobre papel de construcción blanco. **Recórtala** y **pégala** sobre el triángulo.

6. ¡**Saluda** tu bandera con amor y respeto!

11

Aprendo de otros pueblos

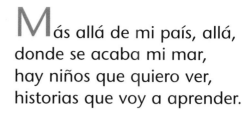

Más allá de mi país, allá,
donde se acaba mi mar,
hay niños que quiero ver,
historias que voy a aprender.

Son niños iguales a mí
en sus sueños,
en sus juegos.
Son niños diferentes de mí
en su idioma,
en su historia.

Más allá de mi país, allá,
¿cuántos niños conoceré?
¿Qué historias aprenderé
allá, donde termina mi mar?

¡Lo que aprenderás!

- ¿Qué puedo aprender de otros países?
- ¿En qué se diferencian las letras **r** y **rr**?
- ¿Cómo puedo conocer el significado de las palabras por el contexto en el que aparecen?
- ¿Cuándo usamos el verbo en presente?
- ¿Qué es la sílaba tónica? ¿Qué es la tilde?
- ¿Cómo escribimos la **M**, la **N**, la **Ñ** y la **X** en letra cursiva?

Antarki y la Luna

La Luna quiere dormir,
pero Antarki no la deja.
Quiere que baje a la puna
para que alegre la fiesta.

Es la fiesta de los niños,
la fiesta de Nochebuena.
Niños y niñas del mundo
cantan haciendo una rueda.

Cantan canciones de paz,
canciones de duermevela.
La Luna ríe feliz.
Antarki ríe con ella.

Heriberto Tejo
(*español*)

Canción de todos los niños del mundo

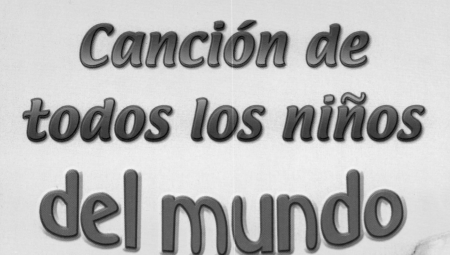

Cuando aquí es de noche,
para ti amanece.
Vivimos muy lejos,
¿no te lo parece?

Cuando allí es verano,
aquí usan abrigos.
Si estamos tan lejos,
¿seremos amigos?

Yo no hablo tu idioma,
tú no hablas el mío.
Pero tú te ríes
cuando yo me río.

Estudias, estudio,
aprendo y aprendes.
Sueñas y yo sueño,
sé que me comprendes.

Vivimos muy lejos,
no estamos cercanos.
Pero yo te digo
que somos hermanos.

Alma Flor Ada

(*cubana*)

Entiendo la lectura

Antarki y la Luna

A. Escribe dos acciones humanas que hace la Luna en el poema.

1. _____

2. _____

B. Relee estos versos:

Es la fiesta de los niños,
la fiesta de Nochebuena.
Niños y niñas del mundo
cantan haciendo una rueda.

▶ **Contesta**:

1. ¿Por qué crees que la fiesta de Nochebuena es de los niños?

_____
_____

2. ¿Cómo crees que se sienten los niños del poema? ¿Cómo lo sabes?

_____
_____

C. Comparte con tus compañeros:

1. ¿Celebra tu familia la Nochebuena?

_____

2. Si lo hacen, ¿cómo la celebran?

_____
_____

D. Opina:

• ¿Te gustaría ser uno de los niños del poema? ¿Por qué?

Canción de todos los niños del mundo

A. Menciona:

1. dos diferencias entre los niños del poema.

   • _____

   • _____

2. dos semejanzas entre los niños del poema.

   • _____

   • _____

B. Escribe un mensaje para los niños del mundo.

C. Marca la contestación.

• ¿Qué nos enseñan estos poemas?

   ☐ Que todos los niños del mundo viven igual.

   ☐ Que los niños del mundo no pueden ser amigos,
   porque son diferentes.

   ☐ Que los niños del mundo pueden ser amigos, aunque
   tengan diferencias.

Letras y sonidos

A. Lee las palabras en voz alta. **Fíjate** en el sonido de las letras destacadas.

perro	tierra
cara	quiere

- ¿Qué diferencia notas entre los sonidos de la **r** y la **rr**?

La letra **r** tiene un sonido suave dentro de las palabras.

Ejemplos: ca**r**a, quie**r**e

La **rr** tiene un sonido fuerte.

Ejemplos: pe**rr**o, tie**rr**a

B. Lee las palabras. **Coloréalas**, según esta clave:

con **r**   con **rr**

para	toro	turrón
parece	parrilla	caracol
verano	tiburón	churros
corro	jarrón	zorrillo

C. Clasifica en las lunas estas palabras:

◈ zorro ◈ muro ◈ torre ◈ loro ◈ faro ◈ jarra

r

_____

_____

_____

rr

_____

_____

_____

D. Completa las palabras con **r** o **rr**.

guita____a

güi____o

ma____acas

pa____anda

pande____eta

E. Completa cada oración con la palabra adecuada.

1. Antarki se come una _____. (*pera / perra*)

2. Los niños formaron un _____. (*coro / corro*)

3. Van en _____ hasta la fiesta. (*caro / carro*)

Vocabulario

A. Lee estos versos. **Fíjate** en la palabra destacada.

*Cantan canciones de paz,
canciones de **duermevela**.*

▶ **Marca** el significado de la palabra *duermevela*.

☐ Sueño liviano.

☐ Ruido desagradable.

• ¿Cómo supiste el significado de esa palabra?

A veces, podemos conocer el significado de una palabra por el contenido o **por el contexto** de la oración en la que aparece.

B. Lee las oraciones. **Marca** el significado de la palabra destacada.

1. Quiere que baje a la **puna** para que alegre la fiesta.

☐ Terreno en las montañas.

☐ Fiesta divertida.

2. Los niños del mundo hablan diferentes **idiomas.**

☐ Forma de comunicarse de las personas.

☐ Forma de trabajar de las personas.

3. La Luna ilumina la fiesta con sus **destellos**.

☐ Fuegos artificiales.

☐ Luces brillantes.

C. Lee cada oración. **Escoge** el significado de la palabra destacada y **escríbelo**.

◇ fiesta   ◇ regalo   ◇ dañó   ◇ alegró

1. Antarki invitó a la Luna a la **celebración** de Nochebuena.

_____

2. Los niños le dieron un **obsequio** de Navidad a la Luna.

_____

3. La Luna se **regocijó** al oír que los niños cantaban.

_____

4. La lluvia no **entorpeció** la diversión.

_____

D. Lee este texto. **Fíjate** en las palabras destacadas.

En nuestro mundo, existen muchas diferencias. Los países tienen sus **costumbres**: formas de comer, de hablar, de saludar, de vestir. Las costumbres, a veces, dependen del clima del país.

Por ejemplo, Antarki **habita** en unas montañas que se llaman Los Andes, en América del Sur. Su **vestimenta** es abrigada, porque allí hace frío.

▶ **Une** cada palabra con su significado.

costumbres	▶	◀	Vive en un lugar.
habita	▶	◀	Formas de actuar.
vestimenta	▶	◀	Ropa.

Gramática

A. Lee estas oraciones. **Fíjate** en las palabras destacadas.

1. José **juega** en su cuarto.

2. Karen **ríe** feliz.

- ¿En qué momento ocurren las acciones de esos verbos?

Cuando hablamos de las acciones que ocurren ahora, usamos el verbo en presente.

Ejemplos: juega, ríe

B. Colorea los verbos que estén en presente.

mira	tomaron	leo
nadó	camina	pasear

C. Lee esta estrofa. **Copia** los verbos en presente.

Estudias, estudio, aprendo y aprendes. Sueñas y yo sueño...

1. _____

2. _____

3. _____

4. _____

5. _____

6. _____

D. Completa las oraciones con estos verbos en presente:

◇ hablan   ◇ tiene   ◇ viven   ◇ quieren   ◇ sueña

1. José _____ con ser piloto.

2. Karen _____ frío.

3. Los niños _____ diferentes idiomas.

4. Karen y José _____ muy lejos.

5. Ellos _____ conocerse algún día.

E. Observa cada imagen. **Completa** la oración con un verbo en presente.

1. José _____ .

2. Karen _____ .

3. José _____ .

4. María y Karen _____ .

F. Contesta estas preguntas. **Escribe** oraciones con verbos en presente.

1. ¿Qué haces en este momento?

_____

2. ¿Qué comida cocinan en tu casa?

_____

3. ¿Qué idioma hablas?

_____

Ortografía

A. **Lee** en voz alta estas palabras. **Encierra** en un círculo la sílaba tónica y **subraya** la vocal con tilde.

amaneció

atardeció

- ¿Qué tienen en común esas palabras?

> La sílaba que pronunciamos con mayor fuerza se llama **sílaba tónica**
>
> *Ejemplos*: amane**ció**, atarde**ció**
>
> Algunas palabras llevan **acento ortográfico** o **tilde** sobre la vocal tónica.
>
> *Ejemplos*: amaneci**ó**, atardeci**ó**

B. **Lee** las palabras. **Colorea** la sílaba tónica.

a	bri	go

es	ta	mos

pla	ne	ta

her	ma	nos

i	rás

há	bla	me

C. Divide las palabras en sílabas. Luego, **escribe** la sílaba tónica.

Palabras	División en sílabas	Sílaba tónica
Luna	Lu-na	Lu
rueda		
feliz		
niñas		
bajar		

D. Lee cada pareja de palabras en voz alta. **Marca** la sílaba tónica de cada una. Luego, **encierra** en un círculo las palabras que tengan tilde.

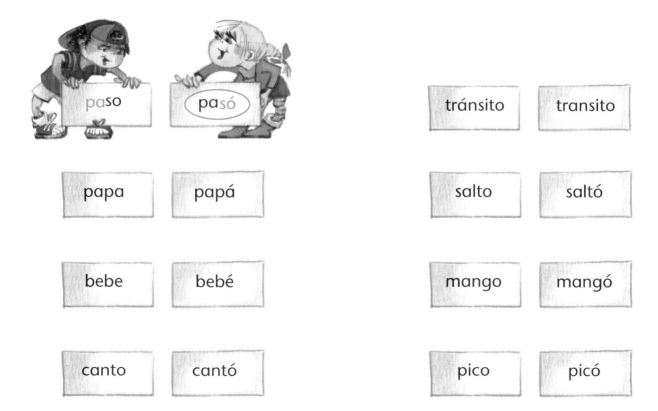

▶ **Define** cada palabra. **Explica** la diferencia entre las palabras de cada pareja.

A. Traza y **practica** estas letras:

m m m

n n n

ñ ñ ñ

x x x

B. Traza esta oración:

María, Nina, Xiomara

y Muñeca cantan.

● **Observa** la imagen. **Escoge** a uno de los niños y **escribe** cuatro preguntas que le harías.

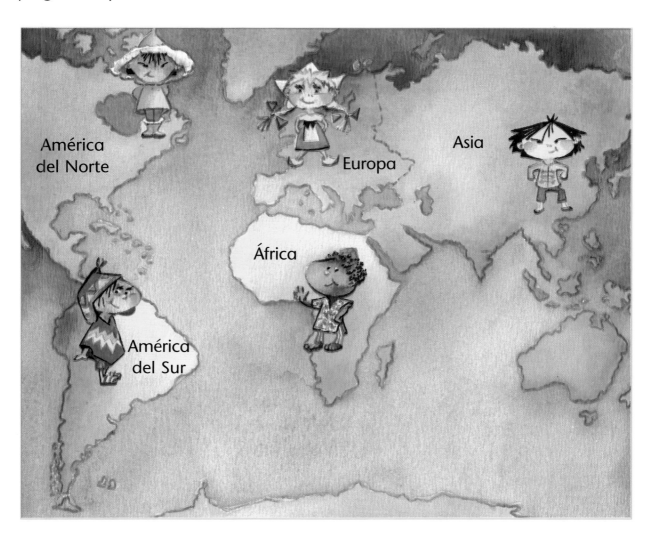

1. _____

2. _____

3. _____

4. _____

◗ **Escríbele** un mensaje.

_____

_____

Repasamos y jugamos

A. Lee este texto:

José Marrero es un niño puertorriqueño. José conoció a Karen por Internet. Karen vive en Suecia y no habla español. José no habla sueco, así que se escriben en inglés. Tienen algo en común: los dos tocan guitarra.

▸ **Subraya** las palabras del texto, según esta clave:

 con **r**    con **rr**

B. Lee cada oración y **marca** el significado de la palabra destacada.

1. Karen volará en **aeroplano** a Puerto Rico.   (*avión* / *tren*)

2. Su papá la ayudó a llevar el **equipaje**.   (*bloques* / *maletas*)

3. José espera **ansioso** a su amiga.   (*nervioso* / *furioso*)

C. Subraya y **escribe** el verbo en presente de cada oración.

1. Karen estudia en su cuarto.

_____

2. José le escribe una carta a Karen.

_____

3. Karen lee la carta.

_____

D. Subraya la sílaba tónica de cada palabra. **Colorea** las nubes que contengan palabras con tilde.

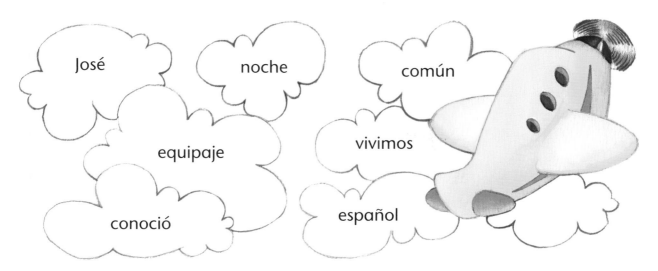

José

noche

común

equipaje

vivimos

conoció

español

E. Crea una guirnalda con figuras de niños. **Sigue** estos pasos:

1. **Consigue** estos materiales:

   - papel
   - tijeras
   - un lápiz
   - lápices de colorear

2. **Corta** un papel por la mitad en dos pedazos horizontales.

3. **Dobla** por la mitad, dos veces, uno de los pedazos.

4. **Dibuja** la silueta de un niño.

5. **Corta** la figura, sin cortar las manos.

6. **Abre** el papel con cuidado.

7. **Dibuja** y **colorea** las figuras como niños de diferentes países del mundo.

12 Admiro las plantas

A mi sombra te cobijas
en cualquier momento del día.
Bajo la lluvia de mis hojas,
miras las líneas de color:
azul,
verde,
violeta,
amarilla,
anaranjada,
roja.

Todas, mi niña, para ti son
en este espacio de vida y amor.

¡Lo que aprenderás!

- ¿Cómo son las plantas?
- ¿En qué se diferencian las letras **ce** y **ci** de las letras **se** y **si**?
- ¿Qué son las palabras polisémicas?
- ¿Cuándo usamos el verbo en pasado?
- ¿Qué son las palabras agudas? ¿Cuándo las acentuamos?
- ¿Cómo escribimos la **U**, la **V**, la **W** y la **Y** en letra cursiva?

Don Simón, el hortelano

Personajes:

Don Simón

Niños: Luisa

Pedro

Mayita

Rafael

Rosa

Sara

Pájaro: Mozambique (Chango)

Insectos: Grillo (1)

Escarabajos (2)

Mariposas (2)

Gorgojos (4)

Pulgones (5)

Hormigas (6)

Orugas (7)

Cuadro único

Escena I

Esta escena se desarrolla en un huerto rural. Don Simón es el hortelano y los niños, que están de vacaciones, vienen a cooperar con él.

Luisa (muy dispuesta): Buenos días, don Simón. ¡Qué hermoso está el huerto!

Don Simón (acogedor): Buenos días, Luisa. ¡No sabes la alegría que me traen esas palabras! Y tú, Pedro, ¿dónde estabas?

Pedro: Fui a la tiendita a comprarle unas cosas a Mamá.

Don Simón: Pedro, tú tienes buena mano para la siembra.

Pedro: Sí, me gusta mucho la naturaleza.

Luisa: Don Simón, allá vienen Mayita y Rafael.

Don Simón: Como están de vacaciones, todos andan sueltos como los pájaros.

Mayita y Rafael: ¡Qué lindo día, eh!

Don Simón: El tiempo me favorece mucho.

Mayita: Venimos a trabajar.

Don Simón: ¡Bendita sea esa palabra! El trabajo le da mérito al hombre. Lo hace bueno, caritativo…

Luisa: Llené la regadera para el semillero. Las plantitas están mustias.

(Empieza a regar las plantas).

Rafael: Yo voy a sacar las yerbas malas.

Pedro: Bien, yo voy detrás acomodando la tierra.

(Se van a trabajar).

Escena II

Esta escena también se desarrolla en el huerto.
Amanece y los insectos empiezan a salir de sus escondrijos.
Se encuentran en el centro del huerto.

Escarabajo:

¡Oh, qué silencio
tan suave y puro!
Vamos pasando
al desayuno.

(Salen los Escarabajos hacia
el batatal. Entran las siete
orugas bailando con música
adecuada. Luego, recitan).

Oruga:

Busco la pulpa
de la guayaba,
por agridulce,
húmeda y clara.

Pulgones (los cinco entran
alegremente):

Somos pulgones
del perejil,
del limoncillo
y del ají.

Vamos en grupos
de dos y tres.
¡A libar jugos
cinco a la vez!

(Salen ligeritos hacia
las plantas).

Hormigas (las seis en hilera):

¡Adiós, amigos,
que nos espera,
allá en la orilla,
la berenjena!

Mariposas (las tres vuelan
hacia las plantas):

Le hacemos ronda
a la remolacha,
la col redonda
y la calabaza.

(Siguen volando).

Grillo (con estilo cubano):

A mí me encantan
los pimienticos.
Allá en La Habana
eran muy ricos.

(Sigue hacia las plantas).

Gorgojo:

Pues yo prefiero
a los garbanzos.
Con mi taladro
todo lo alcanzo.

(Todos los insectos se internan
en el huerto y comienzan a
comer hojas, raíces, tallos y
frutos).

Escena III

Mientras los insectos comen y comen, llega el Chango volando con su capa de terciopelo negro. Va y viene siguiendo el ritmo de una música adecuada. Mueve la capa en tal forma que le da al ambiente un aspecto misterioso.

Chango (moviendo su capa con donaire): ¡Chui, chui, chui! ¡Chui, chui, chui!
(Se detiene y habla con voz grave):

Me dicen que aquí
todo es a mi antojo.
Huele a mariposa,
a oruga y gorgojo.

(Busca por todos lados. Vuela otra vez con música adecuada moviendo la capa con soltura. Todos quedan a la expectativa. Luego, habla con voz grave).

¡Qué delicia, amigo,
si hubiera un pulgón
o una hormiga brava
en ese limón!

(El Chango se acerca al limón
y huele la planta).

Pulgones (azorados):

¡Ay, ay, ay, socorro
que ha llegado el Chango!
Con su espada negra
con el viento azotando.

(El Chango vuela entre los insectos
que salen entre las plantas muy
asustados).

Escarabajo alistado:

¡Huyamos,
hermanos!

Mariposas: ¡Sálvese el que pueda!

Orugas: ¡Corran, salten, vuelen!

Hormigas: Dejemos el huerto.

Grillo: ¡Nadie nos detiene!

(Los insectos huyen del huerto y el
Chango, muy frustrado, se arrima
a una planta de maíz).

Escena IV

Llegan don Simón y los niños con sus aperos, cantando alegremente, para iniciar su tarea en el huerto.

Todos (cantando):

Llega alegre el Sol,
se baña en el río.
Se bebe el rocío
que duerme en la flor.
Canta el ruiseñor.
Abre la semilla
su vida sencilla.
El cielo la aclama
con lluvia alada,
¡ay, qué maravilla!

Don Simón: ¡Buena hora para trabajar en el huerto!

Mayita: Don Simón, allá veo una sombra.

Don Simón: ¿Una sombra? Ése es el Chango que está pelando las mazorca de maíz. ¡Ahora verán…!

(Don Simón persigue al Chango con la azada en la mano y el pájaro se aleja).

Pedro: Don Simón, mire, en las lechugas hay hojas perforadas.

Luisa: En las coles también.

Rafael: Aquí hay un tomate dañado.

Mayita: Parece que hubo una invasión de insectos en el huerto.

Rafael: Seguramente los había de boca roedora, como el escarabajo, porque miren esta batata.

Don Simón: Vamos a recoger los frutos maduros, son los que más atraen a los insectos.

Luisa: Le traje la canasta para echar las hortalizas que le ofreció a su nieto Pablo y a sus amigos de la escuela.

(Todos ayudan a recoger los frutos).

Don Simón: Los niños con buena alimentación crecen sanos y fuertes. Resisten más las enfermedades. Los vegetales contienen minerales y vitaminas, muy necesarios para el organismo.

Pedro: Estas acerolas son pura vitamina C.

Rafael: La vitamina C es esencial para la formación de los dientes y los huesos.

Mayita: ¡Tan ricas que son las frutas! Mamá hace jaleas de guayaba, de mamey y de naranja.

Don Simón: Bueno, ya está la canasta. ¡Qué buena sorpresa para los chicos!

Luisa: ¿Se la llevamos ahora?

Don Simón: Sí, la entregamos a la maestra de Pablo, para que les haga una buena ensalada. Luego, regresamos al huerto para seguir nuestra tarea.

(Todos salen hacia la escuelita de Pablo).

FIN

Isabel Freire de Matos
(*puertorriqueña*)
(*adaptación*)

Entiendo la lectura

A. Marca la contestación.

1. ¿Qué tipo de texto es *Don Simón, el hortelano*?

☐ Un poema. ☐ Un cuento. ☐ Una obra de teatro.

2. ¿Qué podemos hacer con este tipo de texto?

☐ Contarlo en un teatro.

☐ Representarlo en un teatro.

☐ Recitarlo en un teatro.

B. Ordena del 1 al 5.

Los insectos llegaron al huerto a comer.

Los insectos huyeron asustados.

Don Simón y los niños recogieron los frutos.

Los niños llegaron al huerto a trabajar.

El chango llegó al huerto.

C. Une a cada personaje con lo que dijo.

Don Simón

Chango

Escarabajo

Luisa

◀ *Huele a mariposa, a oruga y gorgojo.*

◀ *Le traje la canasta para echar las hortalizas.*

◀ *Los niños con buena alimentación crecen sanos y fuertes.*

◀ *Vamos pasando al desayuno.*

D. Relee la canción de los niños y don Simón.

Llega alegre el Sol,   *Abre la semilla*   *se baña en el río.*   *su vida sencilla.*   *Se bebe el rocío*   *El cielo la aclama*   *que duerme en la flor.*   *con lluvia alada,*   *Canta el ruiseñor.*   *¡ay, qué maravilla!*

▶ **Subraya** del mismo color las palabras que rimen.

E. Comparte con tus compañeros:

1. ¿Para qué sirven los frutos del huerto?

2. ¿Crees que el trabajo en la agricultura es interesante? ¿Por qué?

Letras y sonidos

A. Completa las palabras con **ce** o **ci**.

a_____rola

_____nta

ter_____opelo

_____bolla

_____pillo

B. Colorea las sílabas de las palabras, según esta clave:

 Contienen **se**.

 Contienen **si**.

Si	món

se	mi	llas

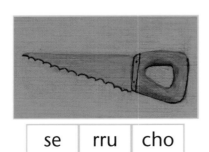

se	rru	cho

si	lla

C. Clasifica en la tabla estas palabras:

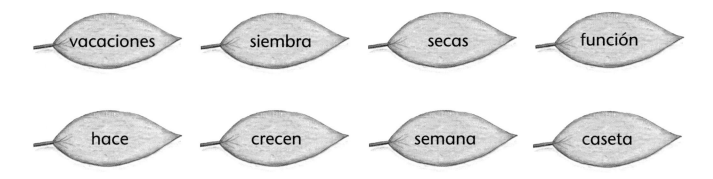

Contienen ce o ci.	**Contienen** se o si.

D. Completa cada oración con la palabra correcta.

1. El chango sale cuando _____. *(amanese / amanece)*

2. Los insectos están en el _____ del huerto. *(centro / sentro)*

3. Los pulgones se comen el _____. *(limoncillo / limonsillo)*

4. Los _____ prefieren los frutos maduros. *(incectos / insectos)*

5. Los niños se acercan por el _____. *(cendero / sendero)*

6. Habrá que _____ de nuevo. *(sembrar / cembrar)*

7. Don Simón se mece en su _____. *(sillón / cillón)*

8. El hortelano _____ el almuerzo. *(cocina / cosina)*

Vocabulario

A. **Observa** las ilustraciones y **lee** las oraciones.
Fíjate en las palabras destacadas.

Mayita recoge las **hojas** secas.

Rafael dibuja en **hojas** de papel.

- ¿En qué se parecen las palabras? ¿En qué se diferencian?

Las **palabras polisémicas** son aquellas que tienen muchos significados.

Ejemplo: **hojas**: — las del árbol.
— las de papel.

B. **Marca** el significado que corresponda a las palabras destacadas.

1. Don Simón trabaja con el **pico**.

☐ Herramienta puntiaguda.

☐ Parte de los pájaros.

2. ¡Qué **ricas** están las chinas mandarinas!

☐ Sabrosas.

☐ Con mucho dinero.

3. El chango está en el **palo** de limón.

☐ Pedazo de madera.

☐ Árbol o arbusto.

C. Completa las oraciones con estas palabras polisémicas:

◇ muñeca ◇ pies

1. A Mayita se le perdió su _____.

2. Pedro mide cuatro _____ de alto.

3. Pablo se lastimó la _____.

4. A Rafael le pican los _____.

▶ **Explica** en tus palabras los significados de ambas palabras.

D. Une cada palabra polisémica con sus dos definiciones.

Ser vivo que tiene raíz, tallo y hojas.

 palma

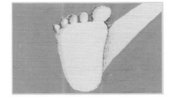

Parte de abajo del pie.

Parte de la mano hacia la que se doblan los dedos.

planta

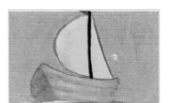

Pieza de tela que, con el viento, hace navegar a los barcos.

Cilindro de cera que se prende para alumbrar.

vela

Árbol.

Gramática

A. Lee las oraciones y **fíjate** en los verbos destacados.

Don Simón **recoge**
los frutos maduros.

Don Simón **recogió**
los frutos maduros.

- ¿En qué se diferencian los verbos destacados?

Cuando hablamos de las acciones que ya ocurrieron, usamos el **verbo en pasado**

Ejemplo: **recogió**

B. Colorea los verbos que estén en pasado.

| pegó | lava | cocina | colgó |

| batea | cambió | estudia | pisó |

C. Cambia los verbos a pasado.

 caminar

_____

 comer

_____

correr

_____

 cantar

_____

D. Completa las oraciones con el verbo en pasado.

El grillo _____ los pimientos. (*mira* / *miró*)

El chango _____ a los insectos. (*asustó* / *asusta*)

La oruga _____ una guayaba. (*prueba* / *probó*)

La mariposa _____ hacia la remolacha. (*vuela* / *voló*)

Las hormigas _____ la berenjena. (*muerden* / *mordieron*)

E. Copia las oraciones y **cambia** el verbo a pasado.

1. Luisa **llega** al huerto.

_____

2. Pedro **recoge** los vegetales.

_____

3. Mayita **lleva** la canasta.

_____

4. Rafael **busca** guayabas maduras.

_____

Ortografía

A. Lee las siguientes palabras. **Subraya** la sílaba tónica.

a - jí

ve - ge - tal

Si - món

⟩ **Marca** la contestación.

- ¿En qué posición se encuentra la sílaba tónica de esas palabras?

☐ En la última sílaba.

☐ En la penúltima sílaba.

☐ En la antepenúltima sílaba.

Las **palabras agudas** tienen la fuerza de pronunciación
en la última sílaba.

Ejemplos: a**jí**, Si**món**, vege**tal**, pa**pá**

B. Encierra en un círculo las palabras agudas.

◇ trabajar   ◇ batata   ◇ invasión

◇ Rafael   ◇ huerto   ◇ rubí

◇ frutos   ◇ jamás   ◇ huerto

⟩ **Escribe** las palabras agudas que tengan tilde.

_____ _____ _____

- ¿Con qué letras terminan las palabras agudas que tienen tilde?

_____

Las **palabras agudas** sólo llevan **tilde** cuando terminan en una **vocal** o en las consonantes **n** o **s**

Ejemplos: rubí, invasión, jamás

C. Divide las palabras en sílabas. **Encierra** en un círculo la sílaba tónica. Luego, **escribe** la tilde en las palabras agudas que deban llevarla.

pulgon

gandul

limon

pul - (gón)

arrastrar

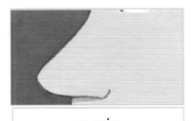

nariz

compas

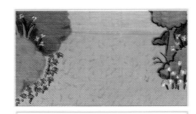

jardin

volo

A. **Traza** y **practica** estas letras:

$\mathcal{U}$ $\mathcal{U}$ $\mathcal{U}$

$\mathcal{V}$ $\mathcal{V}$ $\mathcal{V}$

$\mathcal{W}$ $\mathcal{W}$ $\mathcal{W}$

$\mathcal{Y}$ $\mathcal{Y}$ $\mathcal{Y}$

B. **Traza** esta oración:

Úrsula, Vero, Welmo y

Yari comieron uvas.

Escritura creativa

● **Escoge** la flor que te guste más.

▶ **Descríbela** en un párrafo. **Menciona** qué partes tiene, cómo son sus pétalos y de qué color es.

_____

_____

_____

_____

_____

_____

_____

Repasamos y jugamos

A. Lee este texto:

El lunes temprano
llegó don Simón
al salón de Pablo
en su inmenso camión.

Los niños le preguntaron:
–¿Qué nos trae, don Simón?
Y él les contestó:
–Traigo frutas y vegetales
en este cesto marrón.

–Estos frutos los sembré
para mí y para mis amiguitos,
y en mi huerto habrá cien más
para que coman toditos.

Subraya las palabras del texto, según esta clave:

 con **ce** o **ci**   con **se** o **si**

B. Marca la oración que describa cada dibujo.

☐ **China** es un país muy grande.

☐ El jugo de **china** es muy rico.

☐ La mamá de Ling es **china**.

☐ La **llama** está muy alta.

☐ **Llama** a don Simón.

☐ La **llama** es un animal.

C. Completa las oraciones con los verbos en pasado.

1. Ayer Rafael _____ años. (*cumplir*)

2. Sara _____ bicicleta anoche. (*correr*)

3. Pablo _____ sin parar. (*comer*)

4. Luisa _____ una canasta. (*buscar*)

D. Divide en sílabas estas palabras agudas. **Encierra** en un círculo la sílaba tónica. Luego, **coloca** las tildes necesarias.

marron	reloj	cafe	atras

_____ _____ _____ _____

E. Escenifica la obra *Don Simón, el hortelano* con tus compañeros. **Sigan** estos pasos:

1. **Asignen** los diferentes papeles de la obra.

2. **Pídanle** a su maestro o maestra que dirija la obra.

3. **Determinen** una fecha para la presentación de su obra. **Anúncienla** al resto de la escuela.

4. **Apréndanse** de memoria los parlamentos o las líneas que deben decir sus personajes.

5. **Ensayen** juntos varias veces.

6. **Pídanles** ayuda a sus padres para diseñar y coser el vestuario.

7. **Representen** su obra el día anunciado.

Leer para aprender

Observo y leo

La basura, al zafacón

¿Sabes qué pasa con la basura, si la tiras a la calle? Muchas veces, se acumula en algún lugar: en una acera, en un tiesto o en el parque. Otras veces, los barrenderos o los conserjes la recogen. Tenemos que echar la basura al zafacón. Si no lo hacemos, contaminamos el ambiente de varias maneras.

Primero, los objetos que arrojamos a la calle pueden hacerles daño a los demás. Por ejemplo, alguien puede resbalar con las cáscaras de frutas, o cortarse con un vidrio de una botella. Segundo, la basura que está tirada fuera del zafacón afea el paisaje.

Tercero, esta basura crea plagas (como las cucarachas, las ratas o las moscas) y enfermedades. Las enfermedades llegan al aire que respiramos, al agua que tomamos y al suelo en el que cultivamos los alimentos.

Para evitar estos tres problemas, tenemos que echar la basura al zafacón. De este modo, mantendremos nuestro ambiente saludable, hermoso y limpio.

Comprendo

A. Menciona los tres problemas que crea la basura fuera de los zafacones:

1. _____

2. _____

3. _____

B. Ordena del 1 al 4 la formación de un vertedero.

C. Marca la alternativa correcta.

- Este texto habla de:

  ☐ la contaminación de los carros. ☐ los zafacones en cada esquina.

  ☐ los parques de la comunidad. ☐ los problemas de la basura.

D. Contesta:

- ¿Cuál es la solución que propone el texto?

  _____

  _____

13 Quiero a los animales

Palomita blanca,
reblanca, reblanca.
¿Dónde está tu nido,
renido, renido?
En un palo verde,
reverde, reverde,
todo florecido,
recido, recido.

¡Lo que aprenderás!

- ¿Cómo son los animales?
- ¿En qué se diferencian las letras **ll** y **y**?
- ¿Qué son los sinónimos?
- ¿Cuándo usamos el verbo en futuro?
- ¿Qué son las palabras llanas? ¿Cuándo las acentuamos?
- ¿Cómo escribimos la **D**, la **S**, la **G** y la **Z** en letra cursiva?

Diálogo lento

¿Dónde llevas tu casita,
mi señor don caracol?

—La llevo a donde yo voy.

¿No te pesa ni lastima,
mi señor don caracol?

—Me protege de agua y sol.

¿No puedes andar aprisa,
mi lento don caracol?

—La prisa me da calor.

Deja, deja tu casita,
y juguemos, caracol.

—Será otro día, no hoy.

La canción del grillito

El grillito está chillando
metidito en su rincón.
Chirri, chirri, chirriando
al silencio y al calor.

Se esconde en una esquinita.
Salta de silla a sillón.
Y cuando todos creemos
que por la puerta salió,
de nuevo, chirri, chirriando,
el grillito chirriador.

Ester Feliciano Mendoza
(*puertorriqueña*)

Entiendo la lectura

Diálogo lento

A. Observa el caracol. **Escribe** tres características físicas que tenga.

1. _____

2. _____

3. _____

B. Contesta:

1. ¿Cómo caminan los caracoles?

_____

2. ¿Cuál es la casita del caracol? ¿Crees que puede dejarla?
   ¿Por qué?

_____

_____

C. Marca la alternativa correcta.

- Este poema está escrito como…

  ☐ una narración.   ☐ un diálogo.   ☐ una tirilla.

D. Explica:

- ¿Por qué el poema se titula *Diálogo lento*?

_____

_____

La canción del grillito

A. Subraya en el poema las palabras onomatopéyicas. Luego, **contesta:**

- ¿Qué sonido imitan esas palabras en el poema?

_____

B. Une cada oración con el sentido que usamos para captarla.

| *El grillito está chillando.* |

oído

| *Salta de silla a sillón.* |

vista

C. Comparte con tus compañeros:

1. ¿Has observado con atención animales pequeños, como el caracol o el grillo?

2. ¿Crees que son importantes en la naturaleza? ¿Por qué?

Letras y sonidos _____

A. Colorea las sílabas que tengan la letra **ll**.

gri	lli	to

ga	llo

ar	di	lla

B. Divide en sílabas las palabras. **Subraya** las sílabas que tengan la letra **y**.

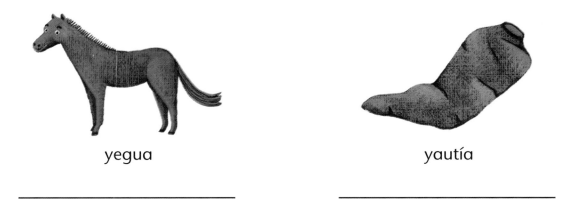

yegua

yautía

_____   _____

C. Une las palabras que suenen igual en una sílaba.

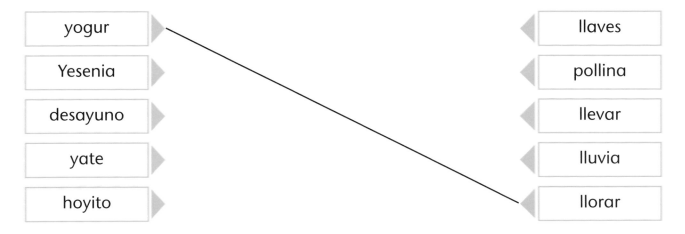

yogur		llaves
Yesenia		pollina
desayuno		llevar
yate		lluvia
hoyito		llorar

D. Clasifica en la tabla estas palabras:

◇ bueyes   ◇ playa   ◇ Hatillo

◇ caballo   ◇ yoyo   ◇ llamas

Se escriben con *y*.	Se escriben con *ll*.

E. Completa las palabras con **y** o con **ll**.

si_____a

cuchi_____o

_____ucas

bote_____a

_____ema

Vocabulario

A. Lee la primera oración. **Completa** la segunda con el sinónimo de la palabra destacada en la primera.

1. El caracol camina **despacio**.

2. El caracol camina _____.

Las palabras que tienen el mismo significado o uno parecido se llaman **sinónimos**

Ejemplo: **despacio   lentamente**

B. Colorea del mismo color los sinónimos de estas palabras:

chillar	esquina
rincón	gritar
esconder	ocultar
saltar	brincar

C. Busca el sinónimo de cada palabra dentro del caracol y **escríbelo**.

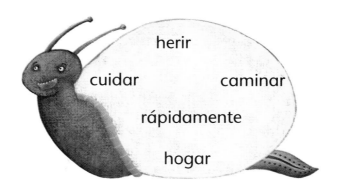

herir

cuidar   caminar

rápidamente

hogar

| proteger | casa | andar |

_____   _____   _____

| lastimar | aprisa |

_____   _____

D. Copia la oración. **Sustituye** la palabra destacada
por un sinónimo.

1. El grillo **astuto** se esconde.

El grillo **listo** se esconde._____

2. El caracol es muy **bonito**.

_____

3. El caracol y el grillo son animales **pequeños**.

_____

4. El grillo **tomó** agua en la fuente.

_____

5. Nos gusta **observar** los animales en el patio.

_____

A. Lee estas oraciones. **Fíjate** en los verbos.

1. El grillo **chillará** esta noche.

2. El caracol **caminará** despacio.

> Cuando hablamos de acciones que sucederán después, usamos el verbo en futuro
>
> *Ejemplos*: chillará   caminará

B. Completa las oraciones con los verbos en futuro.

1. Gabriel _____ a su elefante.   (*alimentar*)

2. Susana _____ a su lagarto.   (*acariciar*)

3. Pablo _____ a su hipopótamo.   (*buscar*)

4. Diego _____ encima de su jirafa.   (*pasear*)

5. Zulma _____ agua a su camello.   (*dar*)

6. Yo _____ con ellos.   (*ir*)

7. Tú te _____ también.   (*unir*)

8. Todos _____ con los animales.   (*compartir*)

C. Completa la tabla con los verbos en futuro.

Presente	Pasado	Futuro
mirar	miró	mirará
llover	llovió	
reír	rio	
comer	comió	
llorar	lloró	

D. Marca los verbos que estén en futuro y **completa** las oraciones.

1. El león _____ fuertemente.

☐ ruge ☐ rugió ☐ rugirá

2. El coyote _____ por la noche.

☐ aullará ☐ aúlla ☐ aulló

3. La cebra _____ por esos llanos.

☐ corre ☐ correrá ☐ corrió

E. Escribe P, si la oración está en pasado. **Escribe F**, si está en futuro.

☐ La leona **defendió** a sus cachorros de los cazadores.

☐ El delfín **giró** tres veces en el aire.

☐ La yegua **parirá** muy pronto su potrito.

☐ Mi cerdito **competirá** la semana que viene en un concurso.

Ortografía

A. Colorea la sílaba tónica de estas palabras:

gri	lli	to

tor	tu	ga

ga	lli	na

▶ **Completa** la tabla con las sílabas de esas palabras.

Palabras	Antepenúltima sílaba	Penúltima sílaba	Última sílaba
 grillito	gri	lli	to
tortuga			
gallina			

• ¿Cuál es la sílaba tónica de esas palabras?

Las **palabras llanas** tienen la fuerza de pronunciación en la penúltima sílaba.

Ejemplos: gri**lli**to, tor**tu**ga, ga**lli**na

B. Colorea las palabras, según esta clave:

🌀 agudas   🌀 llanas

| césped | colibrí | loro | dátil |

| cebra | caracol | cóndor |

▶ **Escribe** las palabras llanas que tengan tilde.

_____   _____   _____

• ¿Con qué letras terminan las palabras llanas que tienen tilde?

Las **palabras llanas** sólo llevan **tilde** cuando terminan
en una consonante que no sea **n** ni **s**.

Ejemplos: césped, dátil, cóndor

C. Acentúa las palabras que deban llevar tilde.

1. arbol   **5.** tunel   **9.** sopa

2. agil   **6.** cerdo   **10.** dificil

3. lapiz   **7.** angel   **11.** goma

4. pato   **8.** facil   **12.** patio

D. Divide en sílabas estas palabras. **Subraya** la sílaba tónica y **acentúalas**,
si fuera necesario.

1. cable   _____   **4.** capa   _____

2. crater   _____   **5.** album   _____

3. pino   _____   **6.** mesa   _____

A. Traza y **practica** estas letras:

$\mathscr{D}$ $\mathscr{D}$ $\mathscr{D}$

$\mathscr{L}$ $\mathscr{L}$ $\mathscr{L}$

$\mathscr{G}$ $\mathscr{G}$ $\mathscr{G}$

$\mathscr{Z}$ $\mathscr{Z}$ $\mathscr{Z}$

B. Traza esta oración:

Gabriel, Diego, Zulma

y Susana cuidarán

sus animales.

Escritura creativa

- **Observa** estos animales salvajes:

leopardos

osos polares

lobo

▶ **Escoge** uno y **descríbelo** en un párrafo.

_____

_____

_____

_____

_____

_____

_____

Repasamos y jugamos

A. Lee este texto:

Susana cogió
un caracol color marrón.
A su casa ya lo llevó
y Yoyo lo nombró.

Gabriel tomó
un grillito saltador.
En su bolsillo lo echó
y Yayito lo llamó.

Subraya las palabras del texto, según esta clave:

 con **y**    con **ll**

B. Completa las palabras con **ll** o **y.**

pla_____a   cepi_____o   co_____ar   re_____es

C. Une los sinónimos.

coger		pintar
llamar		oír
escuchar		nombrar
colorear		tomar

D. Copia las oraciones y **cambia** los verbos a futuro.

1. Susana nada en el mar.

_____

2. Gabriel acompaña a Susana.

_____

E. Encierra en un círculo las palabras llanas. Luego, **acentúa** las que deban llevar tilde.

◇ carcel   ◇ azucar   ◇ silla   ◇ lento

◇ cartel   ◇ casa   ◇ saltador

F. Diseña un libro de animales fantásticos. **Sigue** estos pasos:

1. Consigue estos materiales:

- papel blanco
- un lápiz
- lápices de colorear
- unas tijeras
- pega
- una cinta
- papel de construcción de diferentes colores

2. Dibuja y **colorea** sobre el papel blanco cinco animales raros o fantásticos.

3. Recorta tus animales y **pega** cada uno sobre un papel de construcción. Luego, **inventa** un nombre para cada animal y **escríbelo** debajo de su dibujo.

4. Agrupa todas las páginas. **Haz** un hoyito con tu lápiz en la esquina de cada hoja. Luego, **pasa** la cinta por los hoyitos y **haz** un lazo en el centro.

5. Escribe un título en la portada de tu librito.

14 Imagino otros mundos

Al país de Otomanos,
donde se habla al revés,
se usan zapatos en las manos
y sombreros en los pies,
se ha ido de viaje mi hermano.

¡Salúdalo, si lo ves!

¡Lo que aprenderás!

- ◆ ¿Cuántos mundos puedo imaginar?
- ◆ ¿Delante de qué consonantes debemos escribir **m**?
- ◆ ¿Qué son los antónimos?
- ◆ ¿Cómo se relacionan el nombre, el adjetivo y el verbo en la oración?
- ◆ ¿Qué son las palabras esdrújulas? ¿Cuándo las acentuamos?
- ◆ ¿Cómo escribo la **F**, la **T**, la **I** y la **J** en letra cursiva?

El dragón y la mariposa

PRIMER ACTO

En un oscuro torreón vivía por tiempos un dragón, que Plácido se llamaba y todo lo destrozaba: lleno de pinchos y malas artes escupía fuego por todas partes.

Pero un día vino un profesor con un libraco y, sin temor al fiero dragón, se acercó, y de cabo a rabo lo examinó. Midió a la bestia con interés: ¡treinta metros de largo es!

Ingrato, el monstruo se tragó el metro y al que lo midió. No le dolió su mala acción, pues bien le supo al muy glotón.

Pero el libro se le empachó y una indigestión le dio, y vomitó con desagrado a sabio y libro antes tragados. El sabio sus gafas agarró y se marchó sin un adiós. Mas, ¡mira!, el libro se ha dejado por mala idea u olvidado.

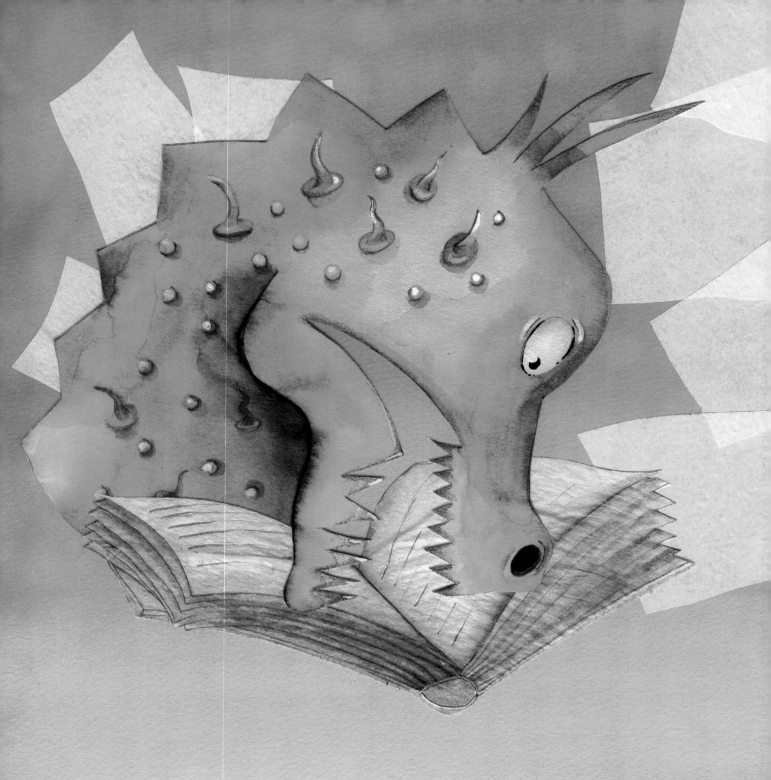

El dragón se puso a leer, ¡nunca lo hubiera debido hacer! Pues apenas el libro abrió, su nombre escrito se encontró y conoció el significado de un nombre tan inapropiado. "Plácido": manso y apacible, dulce, tranquilo, muy sensible.

Gritó el dragón, el alma en vilo: "¡Yo no soy dulce ni tranquilo!" Y para demostrarnos lo contrario, rompió en seguida el diccionario. Y se pasó quinientos días haciendo mil y una fechorías.

Pero aunque trágico le pareciera, Plácido su nombre era. Enfermó de la tristeza, ¡le dolía tanto la cabeza! En la cama se metió y ya nunca más salió.

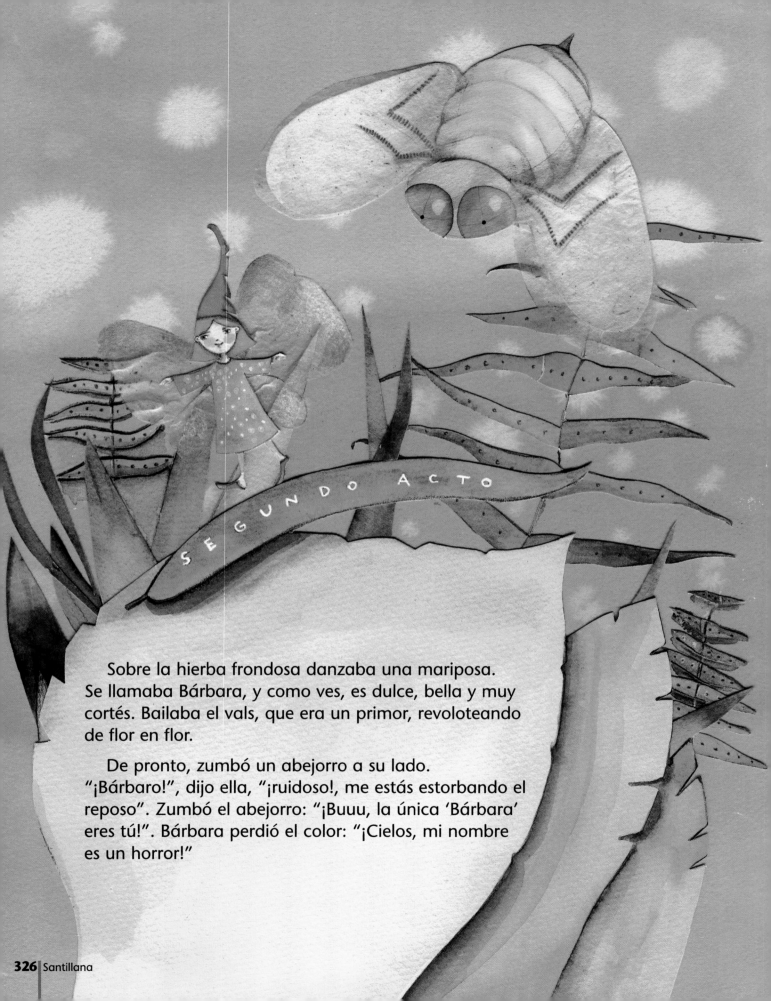

SEGUNDO ACTO

Sobre la hierba frondosa danzaba una mariposa. Se llamaba Bárbara, y como ves, es dulce, bella y muy cortés. Bailaba el vals, que era un primor, revoloteando de flor en flor.

De pronto, zumbó un abejorro a su lado. "¡Bárbaro!", dijo ella, "¡ruidoso!, me estás estorbando el reposo". Zumbó el abejorro: "¡Buuu, la única 'Bárbara' eres tú!". Bárbara perdió el color: "¡Cielos, mi nombre es un horror!"

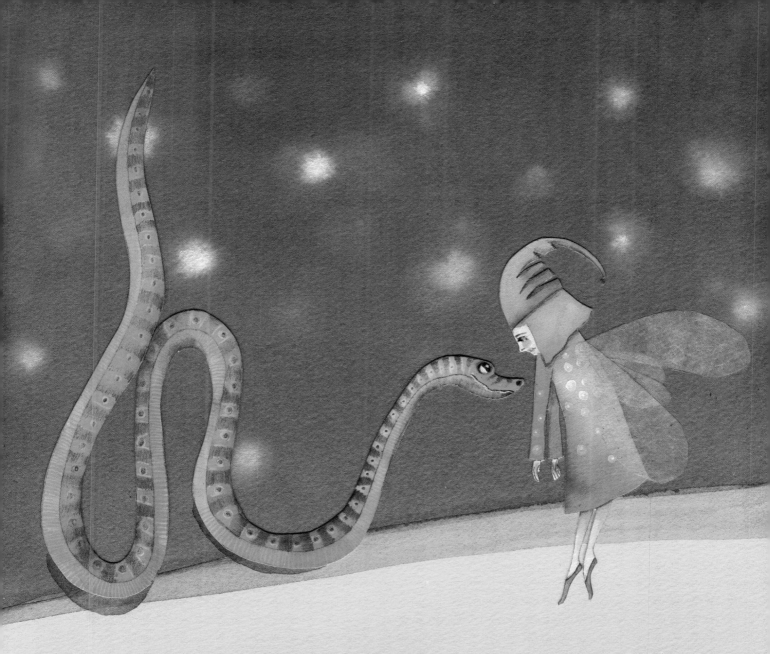

Ya nunca más volvió a bailar, y de puntillas se puso a andar; pero con eso nada consiguió, pues su nombre tampoco varió. Decidió, desesperada, vivir sola y retirada, y en el desierto y en la soledad expiar su "barbaridad".

Pero un día una serpiente pasó por allí enfrente: "Qué risa me da", le contó, "a un dragón conozco yo que se ha metido en la cama, porque Plácido se llama. Y ahora te encuentro a ti. Ja, ja, la vida es así." Guiñó un ojo insinuante y de allí se fue reptante.

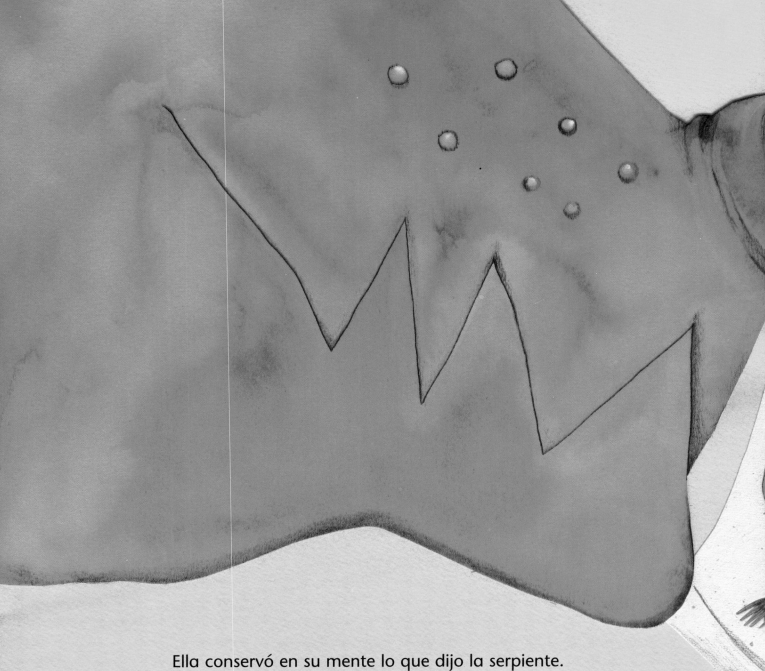

Ella conservó en su mente lo que dijo la serpiente. Tras doce días de reflexión, gritó: "Hallé la solución". Y con ligero equipaje emprendió su largo viaje hasta llegar, de un tirón, a la torre del dragón.

Blancos huesos había a la entrada y ella llamó muy asustada. Entró por fin al torreón y en la cama halló al dragón quejándose a voz en grito; mas ella le habló bajito: "Sé qué es lo que te enfermó, pues Bárbara me llamo yo. ¿Cambiamos, ya que son nuestros esos nombres tan mal puestos?".

De pronto, él no la entendió, pero al rato se aclaró
y le estrechó, entusiasmado, la mano (¡con gran cuidado!).
Y muy contentos, en suma, cogieron papel y pluma,
y por escrito dejaron el acuerdo que tomaron.

Se fue contenta y gozosa Plácida, la mariposa,
y Bárbaro, el fiero dragón, la despidió con emoción.

Michael Ende
(*alemán*)
(*adaptación*)

A. Ordena del 1 al 5.

○

Bárbara habló
con la serpiente.

○

El abejorro se burló
de Bárbara.

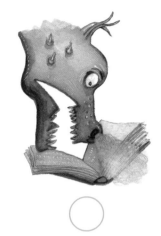

○

Plácido descubrió lo que
significaba su nombre.

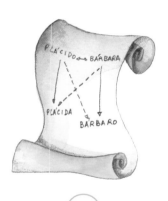

○

El dragón y la mariposa
cambiaron sus nombres.

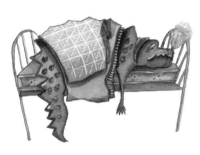

○

El dragón se enfermó
de tristeza.

B. Marca la alternativa correcta.

1. El dragón se enfermó porque:

☐ no le gustaba su nombre.

☐ conoció a la mariposa.

☐ se comió un abejorro.

2. La mariposa dejó de bailar porque:

☐ la mordió una serpiente.

☐ le dolían una alita y un ojito.

☐ su nombre era un horror.

C. Compara:

1. ¿Qué diferencia había entre el dragón y la mariposa?

_____

_____

2. ¿Qué tenían en común?

_____

_____

D. Imagina:

• ¿Qué crees que hicieron el dragón y la mariposa, después de que intercambiaron sus nombres?

_____

_____

_____

_____

E. Comparte con tus compañeros:

1. ¿Te gusta tu nombre? ¿Por qué?

_____

_____

_____

2. Si pudieras escoger otro nombre, ¿cómo te llamarías? ¿Por qué?

_____

_____

_____

_____

Letras y sonidos

A. Lee estas palabras y **fíjate** en las letras destacadas.

1. tie**mp**os

2. te**mp**estad

3. aso**mb**rada

4. so**mb**rilla

- ¿Qué letras aparecen después de la **m**?

> Antes de la **p** y de la **b**, siempre se escribe **m** y no, **n**.
>
> *Ejemplos:* te**mp**estad, so**mb**rilla

B. Completa estas palabras con **mp** o **mb**.

l	á			a	r	a

c	a			a	n	a

h	o			r	o

t	r	o			o

C. Copia las oraciones y **corrige** las palabras destacadas.

1. Un abejorro **zunbador**.

_____

2. La mariposa **enprendió** un viaje.

_____

3. Su **nonbre** era Bárbara.

_____

4. El dragón se **enpachó**.

_____

D. Lee estas adivinanzas y **completa**:

En un parque puedes encontrarlo,
puedes mecerte y llegar muy alto.

Es un _____.

Al escucharlo te hará gozar; si
sabes tocarlo, todos podrán bailar.

Es un _____.

En la boca un ratito lo meces y,
poco a poco, desaparece.

Es un _____.

Vocabulario

A. Lee estas oraciones:

Bárbara **entró** en la torre.

Plácido **salió** de su cuarto.

- ¿Qué relación existe entre las palabras destacadas?

Los **antónimos** son palabras con significados opuestos.

Ejemplos: **entró** - **salió**

B. Copia las oraciones. **Cambia** las palabras destacadas por sus antónimos.

1. El dragón dormía **mucho**.

_____

2. El dragón era **manso**.

_____

3. La mariposa hizo un **corto** viaje.

_____

4. La mariposa habló en voz **alta**.

_____

C. Escribe el antónimo.

derecha

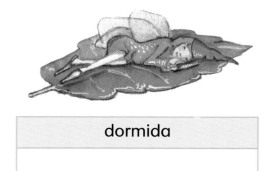

dormida

D. Une los antónimos.

valiente	▶	◀	grueso
ruidoso	▶	◀	cobarde
delgado	▶	◀	débil
fuerte	▶	◀	silencioso

E. Lee el párrafo. **Sustituye** las palabras entre paréntesis por sus antónimos.

Una tortuga caminaba _____ para ver a
        (*rápidamente*)

la mariposa. Cuando llegó, la mariposa le dijo: "Conocí al

dragón. Es muy _____". La tortuga le contestó:
        (*antipático*)

"¡Qué _____ suerte! ¿Quieres tomar conmigo un
        (*mala*)

chocolate _____? Después, me contarás todo".
        (*frío*)

Gramática

A. Escribe el nombre que aparece en cada oración.

1. Bárbara estaba triste. _____Bárbara_____

2. El profesor era inteligente. _____

3. La torre era muy bonita. _____

4. El bosque era espeso y florido. _____

B. Escribe dos adjetivos para cada personaje.

_____   _____

_____   _____

C. Subraya con rojo los adjetivos.

1. El abejorro era grosero y ruidoso.

2. La astuta serpiente visitó a Bárbara.

3. La alta torre estaba muy silenciosa.

4. El profesor era inteligente y bueno.

D. Copia los verbos de estas oraciones:

1. La mariposa llamó asustada. _____

2. El dragón estaba en su blanda cama. _____

3. El fuerte grito retumbó en la torre. _____

4. Bárbara habló bajito. _____

5. El feroz Plácido aceptó el cambio. _____

▶ **Marca** la contestación.

- ¿En qué tiempo están los verbos de esas oraciones?

  ☐ En presente.

  ☐ En pasado.

  ☐ En futuro.

E. Lee cada oración. Luego, **clasifica** en la tabla las palabras destacadas.

1. El **cuento es bonito**.

2. El **dragón era grande**.

3. La **mariposa fue inteligente**.

4. Los **personajes serán felices**.

5. ¿Dónde **estará** el **pobrecito profesor**?

Nombre	Verbo	Adjetivo
cuento	es	bonito

Ortografía

A. Lee estos nombres y **marca** la sílaba tónica.

Plácido   Bárbara

• ¿En qué posición se encuentra la sílaba tónica de esas palabras?

Las **palabras esdrújulas** tienen la fuerza de pronunciación en la antepenúltima sílaba.

Ejemplos: **Plá**cido, **Bár**bara

B. Colorea la sílaba tónica de estas palabras:

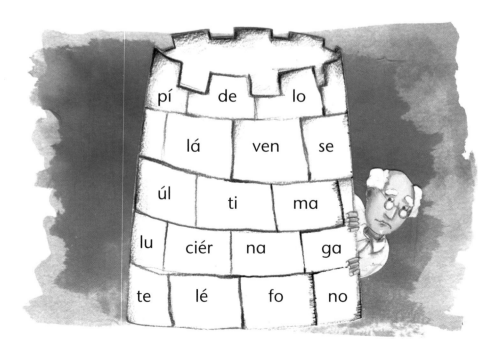

pí   de   lo

lá   ven   se

úl   ti   ma

lu   ciér   na   ga

te   lé   fo   no

C. Colorea las palabras esdrújulas.

(simpática) (tímida) (dulce)

(chévere) (cortés) (inteligentísima)

▶ **Contesta:**

1. ¿Cuántas palabras esdrújulas hay? _____

2. ¿Cuántas tienen tilde? _____

> Las **palabras esdrújulas** siempre llevan **tilde**
> o **acento ortográfico**.
>
> *Ejemplos:* **simpática, tímida, chévere**

D. Une las sílabas y **escribe** las palabras. Luego, **acentúalas.**

1. sa - ba - do _____
2. co - mi - co _____
3. ca - ma - ra _____
4. mier - co - les _____
5. tra - ga - lo _____
6. ma - gi - ca _____
7. si - la - ba _____
8. li - qui - do _____
9. pa - gi - na _____
10. ca - li - do _____

E. Determina si las palabras son agudas (**A**), llanas (**Ll**) o esdrújulas (**E**).

☐ pantalón ☐ músculos ☐ pétalo ☐ lucero

☐ mandíbula ☐ tímpano ☐ piñata ☐ cartón

☐ camisa ☐ temblor ☐ mármol ☐ música

A. Traza y **practica** estas letras:

B. Traza esta oración:

Fico, José, Luis y Tita leen el lindo cuento.

▶ **Subraya** las palabras de la oración, según esta clave:

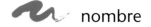 nombre    verbo   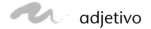 adjetivo

Escritura creativa

A. **Menciona** los títulos de algunos cuentos que hayas leído en este libro.

- _____
- _____
- _____

> **Contesta**:

- ¿Qué personaje llamó más tu atención?

_____

B. **Dibuja** a ese personaje. **Descríbelo** en un párrafo.

_____
_____
_____
_____
_____
_____

Repasamos y jugamos

A. Lee este texto:

El dragón es muy tramposo
cuando juega al esconder.
No te asombres, si te dice:
"Seguro, vas a perder".

Haz como Plácida y dile:
"Jugar limpio es muy simple.
Lo importante no es ganar,
sino que todos participen".

B. Corrige las palabras que estén escritas incorrectamente.

◇ hanbre   ◇ simple   ◇ tenbleque

_____   _____   _____

◇ inportante   ◇ asombres   ◇ tramposo

_____   _____   _____

C. Escribe el antónimo de las palabras destacadas.

1. Plácido vive en una torre **clara**.

   _____

2. El dragón come galletas **agrias**.

   _____

3. La **gorda** serpiente fue a la torre.

   _____

4. Entró en la torre **ruidosamente**.

   _____

5. La serpiente es muy **tonta**.

   _____

D. Lee las oraciones. **Subraya** las palabras, según esta clave:

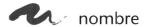 nombre    verbo   adjetivo

1. Leo un libro grande.

2. Disfruto un cuento gracioso.

3. Cuento una historia feliz.

E. Acentúa estas palabras esdrújulas:

◇ cascara   ◇ trafico   ◇ latigo   ◇ pajaro

F. Crea la cabeza de un dragón. **Sigue** estos pasos:

1. Consigue estos materiales:

- tijeras   • pega   • un lápiz
- un cartón de huevos de 12 apartados
- papeles de construcción: negro, rojo y amarillo

2. Desprende la tapa del cartón de huevos.

3. Dobla la tapa por la mitad y **hazle** un pequeño corte a los lados.

4. Haz, con tu lápiz, un hoyito que atraviese por el centro la tapa doblada.

5. Dibuja los dientes en el papel de construcción amarillo; los ojos, en el negro; y la nariz, en el rojo. Luego, **pega** todas las partes a la cabeza del dragón.

6. Pasa tu lápiz por el hoyito que habías hecho. **Muévelo** y verás cómo tu dragón abre y cierra la boca.

Leer para aprender

Observo y leo

¿Dónde están los amigos de la fantasía?

Querido Ramuk:

Estoy feliz de que vengas a visitarme. Te envío un mapa y los puntos de referencia para que llegues hasta mi casa.

1. Está arriba de la Laguna de Cristal.

2. Está a la izquierda de la Cueva Dorada.

3. Está a la izquierda del Árbol Lunar.

4. Está arriba del Pinar de los Unicornios.

Espero que encuentres mi casa.

Tu amigo,

Rasim

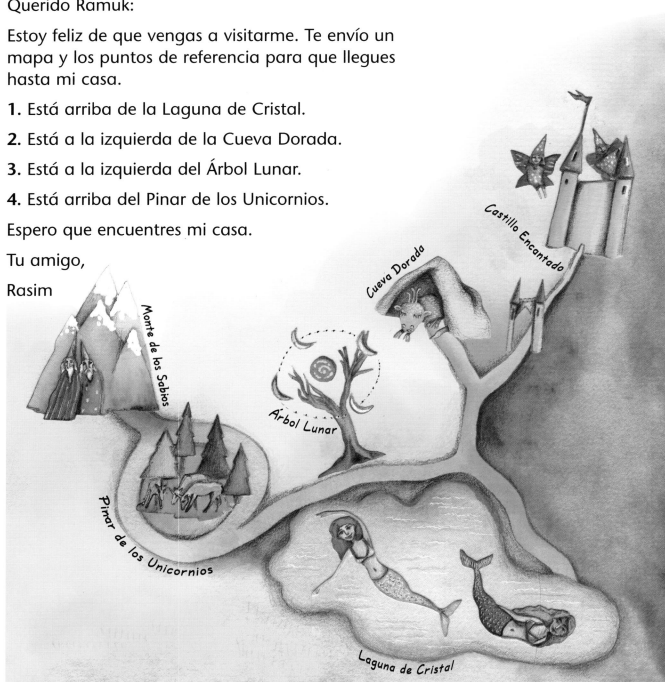

Comprendo

A. Completa estas oraciones:

1. La casa de Rasim está a la _____ del Árbol Lunar.

   (*derecha* / *izquierda*)

2. Está _____ de la Laguna de Cristal.

   (*arriba* / *abajo*)

3. La Cueva Dorada está a la _____ de la casa de Rasim.

   (*derecha* / *izquierda*)

4. El Pinar de los Unicornios está _____ de la casa de Rasim.

   (*arriba* / *abajo*)

▶ **Marca** en el mapa dónde está la casa de Rasim.

B. Imagina que las sirenas invitan a Ramuk a una fiesta.
   Escribe los puntos de referencia para llegar a la fiesta.

1. Está a la derecha del Monte de los Sabios. _____

2. _____

3. _____

4. _____

C. Marca la contestación.

- ¿Para qué nos sirven los puntos de referencia?

  ☐ Para jugar a las adivinanzas.

  ☐ Para localizar lugares a los que no hemos ido.

  ☐ Para encontrar sirenas y sabios.

Glosario

A

abejorro: insecto que produce un fuerte zumbido al volar.

acacia: árbol o arbusto de madera dura y flores olorosas.

acuática: del agua.

adaptara: de *adaptar*, acostumbrar.

adhesivo: pegajoso.

ágil: que se mueve con facilidad.

aglomeradas: amontonadas, agrupadas.

alada: que tiene alas.

alba: amanecer.

albor: luz que hay cuando empieza a amanecer.

aloja: de *alojar*, vivir en un lugar por corto tiempo.

apero: instrumento que se usa en la agricultura.

apuro: dificultad, problema.

arado: instrumento que se usa en la agricultura, con el que se hacen surcos o caminos en la tierra, para sembrar.

arqueadas: en forma de arco o curva.

azorado: confundido.

azulejo: ave de plumaje azul brillante.

B

bellota: fruto de algunos árboles, que tiene forma ovalada y color marrón claro.

bollo: en forma de bola rellena.

Brasil: país de América del Sur, donde se habla portugués.

C

campestre: del campo.

camuyanos: del pueblo de Camuy.

canora: que tiene un canto agradable y melodioso.

cerdas: pelo duro que tienen algunos animales.

cheque: papel escrito y firmado por alguien, que se puede cambiar por dinero en un banco.

chirriar: hacer un ruido chillón y desagradable.

col: repollo.

colmadas: llenas.

colmena: lugar donde viven las abejas.

corola: conjunto de pétalos de una flor.

cosecha: tiempo cuando se recogen los frutos maduros.

crisálida: envoltura que forma la oruga para convertirse en mariposa.

cristalina: clara, transparente.

cuaderno: libreta.

D

decaída: triste, desanimada.

delirio: locura.

deshace: de *deshacer*, desarmar.

diligente: que hace las cosas con rapidez y cuidado.

divisara: de *divisar*, ver desde lejos.

duermevela: sueño ligero o interrumpido que no permite descansar.

E

empachó: de *empachar*, causar indigestión por comer de más.

emperchado: enganchado.

escondrijo: lugar oculto.

esmero: sumo cuidado.

estropeó: de *estropear*, dañar.

expiar: sufrir el castigo por algo malo que se ha hecho.

extranjera: de otro país.

fábrica: lugar donde se fabrican o hacen artículos con máquinas.

favorece: de *favorecer*, beneficiar, ayudar.

fechoría: maldad, travesura.

fiero: animal muy salvaje que muerde y araña.

florido: con flores.

furia: coraje, enojo muy fuerte.

glotón: que come mucho.

gorgojo: insecto pequeño que vive en las semillas de los vegetales.

gorrión: pájaro pequeño de plumaje marrón.

grosella: fruta pequeña de color amarillo y sabor agrio.

guajana: flor de la caña.

guanábana: fruta dulce con pulpa blanca y cáscara verde y áspera.

guaraguao: pájaro grande que vuela alto.

hélice: conjunto de aletas que giran alrededor de un punto para impulsar las naves, como los barcos y los helicópteros.

hortaliza: planta que se cultiva en los huertos.

hortelano: persona que tiene o cultiva un huerto.

huerto: terreno pequeño al lado de la casa, donde se siembran frutas y vegetales.

húmedo: ligeramente mojado.

ingrato: desagradecido.

insolencia: atrevimiento, falta de respeto.

intensos: fuertes, potentes.

iza: de *izar*, alzar, subir.

jobo: fruta agridulce, de color amarillo y semilla espinosa.

kilométricos: de muchos kilómetros.

kilómetros: gran medida de distancia.

labrador: persona que trabaja sembrando; campesino.

leotardo: pieza de ropa ajustada que cubre desde la cintura hasta los pies.

libando: de *libar*, chupar el jugo de algo.

libraco: libro grande.

ligerita: ágil y veloz.

lirio: planta de hojas largas y flores muy bonitas.

lustrarlo: de *lustrar*, dar brillo.

M

madriguera: cueva pequeña en la que viven algunos animales.

mamey: fruta redonda, de cáscara marrón y pulpa anaranjada.

manatieños: del pueblo de Manatí.

mandíbulas: quijadas.

mangle: arbusto grande que crece en áreas pantanosas.

mérito: trabajo o acción que merece un reconocimiento.

misterio: algo que no podemos explicar o entender.

moteado: cubierto de motas o manchas redondas.

mustia: marchita, triste.

N

nívea: blanca como la nieve.

nutrientes: que nutren o alimentan.

O

obreras: trabajadoras.

ondulando: de *ondular*, moverse en ondas.

P

perecer: morir.

perforamos: de *perforar*, hacer huecos.

pescuezo: cuello.

petirrojos: pájaros que tienen el cuello y el pecho rojos.

pitirre: pájaro pequeño y cantor de varios colores.

pode: de *podar*, cortar las ramas de los árboles y plantas.

pomo: frasco de cristal.

portal: parte de la casa donde está la puerta principal.

portugués: idioma que se habla en Portugal, Brasil y otros países.

posó: de *posar*, ponerse en un lugar suavemente.

prado: lugar cubierto de hierba.

primor: bonita, agradable.

pulgón: insecto que vive pegado a ciertas plantas.

puna: terreno alto de la Cordillera de los Andes.

R

ramaje: conjunto de ramas de un árbol.

recreo: tiempo para descansar, jugar o merendar entre clases.

reflexión: acto de pensar algo cuidadosamente.

regazo: parte de las piernas que, cuando se está sentado, se llama falda.

reinita: pájaro pequeño, de color oscuro y pecho amarillo.

remueven: de *remover*, mover algo dándole vuelta.

reptando: de *reptar*, arrastrarse.

reptante: que rapta, se arrastra.

retroceder: volver hacia atrás, regresar.

retumbaban: de *retumbar*, hacer mucho ruido.

rocío: gotitas de agua que aparecen encima de las plantas en la mañana.

ronda: vuelta con cantos y música.

ruiseñor: pájaro marrón, de pecho claro y cola rojiza, que canta muy bonito.

rumbo: camino.

rural: del campo.

 S

safari: excursión a un lugar natural, para cazar o tomar fotografías de animales salvajes.

salpicado: de *salpicar*, cuando saltan gotas de un líquido sobre algo.

secuencia: serie de elementos que guardan una relación entre sí.

segregar: separar una cosa de otra.

sendero: camino estrecho.

sonora: que suena.

surcando: de *surcar*, cruzar por un fluido (de agua, por ejemplo) cortándolo o interrumpiéndolo.

sutil: delicada.

T

tejado: parte alta de un edificio, que está cubierta por tejas, es decir, por piezas de barro que escurren el agua de los techos.

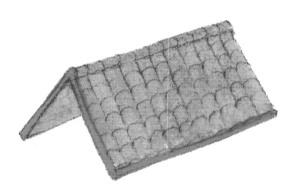

tirón (de un): de un golpe, rápidamente.

tobogán: chorrera.

toldo: tela o plástico que se usa como techo.

torreón: torre grande.

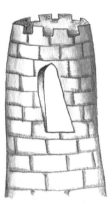

trino: canto hermoso de los pajaritos.

vaina: envoltura de algunas semillas.

vendaval: viento fuerte.

vereda: camino estrecho.

vilo (en): sin apoyarse en nada.

vistoso: elegante, colorido.

Contenido

Letras y sonidos	Vocabulario	Gramática	Ortografía	Caligrafía	Escritura creativa	Repasamos y jugamos	Educación cívica y ética
Análisis fonético: **bl** y **br**	El orden alfabético	La palabra y la frase	La raya	Trazos para letra cursiva	Dibujar y describir las vacaciones, a partir de una serie de detalles.	pp. 32-33	Educación ambiental
Análisis fonético: **pl** y **pr**	Las familias de palabras (clave estructural)	La oración	La letra mayúscula y el punto	Trazo y escritura: **i, t, u, r** y **s**, palabras	Pegar dos fotos y describir los cambios de su crecimiento.	pp. 58-59	Educación para la paz
Análisis fonético: **cl** y **cr**	Los prefijos y los sufijos (clave estructural)	Las oraciones interrogativas	Los signos de interrogación	Trazo y escritura: **a, g, d, q** y **z**, palabras	Mencionar su actividad preferida; buscar y pegar una lámina que la ilustre; describirla y explicar sus sentimientos con respecto a esa actividad.	pp. 78-79	Educación ambiental
Análisis fonético: **fl** y **fr**	El número: singular y plural (clave estructural)	Las oraciones exclamativas	Los signos de exclamación	Trazo y escritura: **c, o, m, n** y **ñ**, palabras	Observar una serie de ilustraciones sobre distintas formas de arte; escoger una y explicar su selección.	pp. 106-107	Educación moral y cívica
Análisis fonético: **gl** y **gr**	El género: femenino y masculino (clave estructural)	Las oraciones enunciativas y las exhortativas	La coma en las enumeraciones	Trazo y escritura: **x, v, y** y **w**, palabras	Identificar detalles sobre su familia; dibujarla y explicar qué les gusta de ella.	pp. 132-133	Educación moral y cívica
Análisis fonético: **dr** y **tr**	El diminutivo (clave estructural)	El sujeto y el predicado	La coma en el vocativo	Trazo y escritura: **e, l, ll** y **h**, palabras	Pegar una foto de la comunidad; describirla y evaluar la calidad de vida en ella.	pp. 156-157	Educación moral y cívica
Análisis fonético: **ga, go, gu, ge** y **gi**	El aumentativo (clave estructural)	El nombre	Los dos puntos	Trazo y escritura: **b, k, f, j** y **p**, oraciones	Pegar una foto del mejor amigo y redactar un párrafo descriptivo, a partir de una serie de detalles.	pp. 182-183	Educación moral y cívica

Letras y sonidos	Vocabulario	Gramática	Ortografía	Caligrafía	Escritura creativa	Repasamos y jugamos	Educación cívica y ética
Análisis fonético: **gue, gui, güe** y **güi**	Las palabras compuestas (clave estructural)	Los nombres individuales y los colectivos	El guion y la división silábica	Trazo y escritura: **A, O, C** y **Q**, oraciones	Escribir una carta para el personaje del cuento estudiado.	pp. 204-205	Educación multicultural
Análisis fonético: los diptongos	Las palabras onomatopéyicas (clave semántica)	El adjetivo	Los diptongos en la división silábica	Trazo y escritura: **E, P, R** y **B**, oraciones	Dibujar o pegar fotos de su pueblo; redactar un párrafo expositivo, a partir de una serie de detalles.	pp. 224-225	Educación ambiental
Análisis fonético: los hiatos	Los gentilicios (clave estructural)	El verbo	Los hiatos en la división silábica	Trazo y escritura: **H, K, L** y **Ll**, oraciones	Observar una serie de fotos de paisajes puertorriqueños y describir qué actividades llevaría a cabo en uno de ellos.	pp. 248-249	Educación moral y cívica
Análisis fonético: **r** y **rr**	Las palabras por contexto (clave de contexto)	El verbo en presente	La sílaba tónica y la tilde	Trazo y escritura: **M, N, Ñ** y **X**, oraciones	Observar una ilustración; redactar cuatro preguntas acerca de un personaje y escribirle un mensaje.	pp. 268-269	Educación multicultural
Análisis fonético: **ce, ci, se** y **si**	Las palabras polisémicas (clave semántica)	El verbo en pasado	La tilde en las palabras agudas	Trazo y escritura: **U, V, W** y **Y**, oraciones	Observar una serie de fotos de flores y describir una de ellas.	pp. 298-299	Educación ambiental
Análisis fonético: **ll** y **y**	Los sinónimos (clave semántica)	El verbo en futuro	La tilde en las palabras llanas	Trazo y escritura: **D, S, G** y **Z**, oraciones	Observar una serie de fotos de animales salvajes y describir uno de ellos.	pp. 318-319	Educación ambiental
Análisis fonético: la **m** delante de la **p** y de la **b**	Los antónimos (clave semántica)	Repaso de las funciones del nombre, el verbo y el adjetivo en la oración	La tilde en las palabras esdrújulas	Trazo y escritura: **F, T, I** y **J**, oraciones	Dibujar y describir a un personaje de la fantasía.	pp. 342-343	Educación moral y cívica

Investigadora de proyecto: **María Mercedes Grau Brull**
Asistente editorial: **Mónica M. Rivera Colón**
Coordinadora de derechos de autor: **Mayra Figueroa Medina**

Directora de arte: **Mónica R. Candelas Torres**
Diseño y diagramación: **Karys M. Acosta Marrero, Evelyn García Rodríguez**
y **José Manuel Ramos Colón**
Digitalización y producción: **David Cardona, Jr.** y **Carlos A. Vázquez López**

Coordinadora de documentación: **Carmen R. Lebrón Anaya**
Ilustraciones: **Mima Castro, Viviana Garófoli, Alejandra Lubliner,**
María Delia Lozupone, Nívea Ortiz, Irene Singer, Migdalia Umpierre, Mónica Weiss
Fotografías: **Luis Matos, Rafi Claudio** (portada) y **Archivo Santillana**